POR QUE AMAMOS CACHORROS, COMEMOS PORCOS E VESTIMOS VACAS

Melanie Joy, Ph.D.

POR QUE AMAMOS CACHORROS, COMEMOS PORCOS E VESTIMOS VACAS

Uma Introdução ao CARNISMO

O Sistema de Crenças que nos Faz Comer Alguns Animais e Outros Não

Tradução

MÁRIO MOLINA

Editora Cultrix
SÃO PAULO

Título original: *Why We Love Dogs, Eat Pigs and Wear Cows.*

Publicado mediante acordo com Conari Press/Red Wheel Weiser Publishing Group, LLC.

1ª edição 2013.

5ª reimpressão 2021.

Editor: Adilson Silva Ramachandra
Editora de texto: Denise de C. Rocha Delela
Coordenação editorial: Roseli de S. Ferraz
Produção editorial: Indiara Faria Kayo
Assistente de produção editorial: Estela A. Minas
Editoração eletrônica: Estúdio Sambaqui
Revisão: Claudete Agua de Melo e Vivian Miwa Matsushita

CIP-BRASIL. CATALOGAÇÃO NA PUBLICAÇÃO
SINDICATO NACIONAL DOS EDITORES DE LIVROS, RJ

J78p

Joy, Melanie
Por que amamos cachorros, comemos porcos e vestimos vacas : uma introdução ao carnismo : o sistema de crenças que nos faz comer alguns animais e outros não / Melanie Joy ; tradução Mário Molina. - 1. ed. - São Paulo : Cultrix, 2014.

Tradução de: Why we love dogs, eat pigs and wear cows.
Inclui bibliografia
Recursos
ISBN 978-85-316-1257-2

1. Sociologia. 2. Ciências sociais. I. Título.

13-07211 CDD: 320
CDU: 32

Direitos de tradução para o Brasil adquiridos com exclusividade pela EDITORA PENSAMENTO-CULTRIX LTDA., que se reserva a propriedade literária desta tradução.
Rua Dr. Mário Vicente, 368 — 04270-000 — São Paulo, SP
Fone: (11) 2066-9000
E-mail: atendimento@editoracultrix.com.br
http://www.editoracultrix.com.br
Foi feito o depósito legal.

Para testemunhas em toda parte.

Através de seus olhos, podemos encontrar nosso caminho.

A grandeza de uma nação e seu progresso moral podem ser julgados pelo modo como seus animais são tratados.

– Mahatma Gandhi

SUMÁRIO

AGRADECIMENTOS

Este livro é o resultado de um projeto iniciado há muitos anos com uma ideia que virou tese de doutorado e que depois adquiriu a dimensão que tem hoje. Com o passar dos anos, muita gente me ajudou a dar forma às minhas ideias e a apurar minhas palavras, apoiando-me como profissional e como pessoa. A eles estou eternamente grata. Quero agradecer a Aimee Houser, minha editora brilhante e encorajadora, que me acompanhou em cada passo do caminho; à minha agente Patti Breitman, que acreditou no meu trabalho e lhe garantiu uma boa acolhida; a Erik Williams, meu parceiro e amigo, cujo amor me dá forças; a Clare Seletsky, que apoiou até o fim este projeto; a Caroline Pincus e Bonni Hamilton, da Red Wheel/Weiser, pelo entusiasmo e apoio; a Carolyn Zaikowski, que insistiu para que eu escrevesse este livro; a Bonnie Tardella, pelo empenho na preparação dos originais; a Janice Goldman, George Bournakis, Herb Pearce e Susan Solomon, por me darem apoio vital; a Anna Meigs, pela sabedoria e orientação; a Ruth e Jake Tedaldi, por me ajudarem quando mais precisei; a Teri Jessen, por sua visão; a Bonnie e Perry Norton, por acreditarem em mim e me darem oportunidade de completar meu trabalho; a Fred e Claudette Williams, Dina Aronson, John Adams, Stephen Cina, Adam Wake, Linda Riebel, Michael Greger, Zoe Weil, V. K. Kool, Ken Shapiro, Stephen Shainbart, Hillary Rettig, Rita Agrawal, Eric Prescott, Laureano Batista, Josh Balk e Robin Stone. Quero agradecer também a meus amigos e à minha família, que me apoiaram durante toda essa longa jornada.

PREFÁCIO

EXISTE ALGO que sempre me impressionou. Muitos de nós, não, a maioria de nós gosta de animais. Há algumas pessoas que não gostam, mas a maioria gosta dos cachorros, dos gatos e dos animais que vivem na natureza contribuindo para enriquecer a nossa vida.

Muitos têm animais como companhia. Nós os chamamos de animais de estimação, os tratamos como parte da família, pagamos por sua alimentação e as contas do veterinário, deixamos que durmam em nossas camas e choramos quando morrem. O relacionamento que temos com eles nos enriquece profundamente como seres humanos. Por que nos afetam dessa maneira? Por que mexem tanto conosco? Será que nossos companheiros animais penetraram em nosso coração e acalentaram um precioso sentimento de conectividade?

Acho uma bênção que nós, como seres humanos, possamos criar laços tão cheios de significado e tão gratificantes com criaturas que são membros de outras espécies. Acredito que nossa capacidade de fazer isso é parte integrante de nossa alegria e de nossa beleza como seres humanos.

Mas tenho uma pergunta que me arde na alma. A pergunta é a seguinte: Por que amamos tanto nossos companheiros animais, animais que chamamos "de estimação", extraindo um grande e profundo sentido humano dessas relações, mas de repente mudamos de atitude, chamamos outros animais de "jantar" e, graças a essa distinção semântica, sentimo-nos no direito de tratar esses animais da forma mais cruel possível, desde que isso reduza o preço por quilo?

É literalmente isso o que fazemos. Existem leis em todos os cinquenta estados americanos proibindo a crueldade para com os animais. As leis variam de um estado para outro, mas não com relação a um ponto: em todo estado, a legislação que proíbe a crueldade para com os animais exclui aqueles destinados ao consumo humano. Em cada um dos cinquenta estados, se estamos criando um animal para produzir carne, leite ou ovos, podemos sem restrições submeter esse animal a condições que, se fossem aplicadas a um cachorro ou a um gato, nos levariam à prisão.

O resultado é que temos um sistema de produção industrializada de alimento animal, um sistema de fazendas-fábricas que não está submetido a qualquer restrição legal que o impeça de torturar os animais sob seus "cuidados". Os procedimentos operacionais-padrão na indústria não são concebidos para serem cruéis. Esse não é seu objetivo ou intenção. Eles são concebidos para serem eficazes em termos de custo. Mas se for constatado que é eficaz em termos de custos confinar animais em condições que de fato se assemelham às de Auschwitz ou de Dachau, é isso então que vai acontecer.

E é o que tem acontecido.

É difícil descrever com precisão quão terrível é o modo como os animais de criação são hoje rotineiramente tratados. Como a indústria voltada para esse ramo sabe que as pessoas gostam de animais, ela se esforça ao máximo para impedir que o público descubra o que se passa nos galpões sem janelas onde são mantidas dezenas de milhares de galinhas vivendo tão amontoadas em gaiolas que têm de passar a vida inteira sem levantar uma asa. E com os bicos decepados, para que não mutilem e matem umas às outras em revolta pelo modo como são forçadas a viver. A indústria não quer que se saiba como vivem os animais que estão sendo preparados para o abate. Não quer que se saiba que as vacas leiteiras são mantidas em gigantescas concentrações em galpões de engorda abarrotados, praticamente incapazes de se mover, desprovidas de uma simples haste de capim. Por isso a indústria nos dirige campanhas publicitárias dizendo que "os melhores queijos vêm de vacas felizes", mostrando imagens de vacas pastando satisfeitas em belas pastagens.

Temos comerciais com vacas felizes, comerciais com galinhas felizes e é tudo mentira. É totalmente desonesto, mas não é ilegal. Você pode fazer o que quiser com um animal cuja carne, leite ou ovos pretenda vender e pode mentir quanto quiser a esse respeito, pois fizemos essa distinção semântica entre determinados animais. Amamos alguns, outros não só abatemos, como também torturamos.

E conseguimos racionalizar isso de alguma maneira, esquecendo que todas essas criaturas têm algo incrivelmente importante em comum. Todas obtêm a vida da mesma fonte que nós. Todas são parte da comunidade terrestre. "Todas são criaturas de Deus", disse sabiamente alguém, "têm um lugar no coro."

Em *Por que Amamos os Cachorros, Comemos os Porcos e Usamos as Vacas,* Melanie Joy investiga de forma brilhante o sistema de crenças que nos faz amar certos animais e não outros, a comer certos animais e não outros, a tratar bem certos animais, mas não outros.

Este não é apenas um livro importante. É um livro crucial. Se quisermos corrigir nossa relação com o reino animal, precisamos ouvir com atenção o que Melanie Joy está nos dizendo.

Precisamos restaurar nossa conexão com os animais de todas as espécies, não apenas para o bem deles. Não se trata apenas de direitos dos animais. Trata-se das responsabilidades humanas. Ensinar uma criança a não pisar numa lagarta é tão valioso para a criança quanto para a lagarta.

Mahatma Gandhi disse certa vez: "A grandeza de uma nação pode ser julgada pelo modo como seus animais são tratados". Não acredito que ele quisesse se referir ao modo como alguns de seus animais são tratados ou apenas aos nossos animais de estimação.

Acredito que Gandhi teria gostado de *Por que Amamos os Cachorros, Comemos os Porcos e Usamos as Vacas*. Pois este é um livro que pode mudar o nosso modo de pensar e o nosso modo de viver. Ele o levará da negação à consciência do problema, da passividade à ação e da resignação à esperança.

– John Robbins, verão de 2011

Capítulo 1

Amar ou Comer?

Não vemos as coisas como elas são; nós as vemos como nós somos.
– Anaïs Nin

Imagine, por um momento, o seguinte cenário: você é um convidado num jantar elegante. Está sentado com os outros convidados em frente a uma mesa caprichosamente arrumada. O ambiente é acolhedor, luz de velas cintila através de copos de cristal e a conversa está fluindo livremente. Aromas de pratos suculentos, de dar água na boca, emanam da cozinha. Você não comeu nada o dia inteiro e seu estômago está roncando.

Por fim, depois do que parecem ter sido horas, sua amiga, a anfitriã do jantar, emerge da cozinha com uma travessa fumegante de apetitoso guisado. Os aromas de carne, temperos e legumes enchem a sala. Você se serve de uma generosa porção e, depois de comer vários bocados de carne macia, pede a receita à sua amiga.

– Com muito prazer – ela responde. – Começamos com dois quilos e meio de carne de *golden retriever*, bem marinada, e depois... *Golden retriever*? Provavelmente você congela no meio da mordida ao refletir sobre as palavras que ouviu: a carne em sua boca é de um *cachorro*.

E agora? Você continua comendo? Ou se revolta com o fato de ter no prato um *golden retriever*, do qual acabou de comer alguns pedaços? Você isola a carne e come os legumes em volta dela? Se você for como a maioria dos americanos, ao saber que estava comendo um cachorro, suas sensações vão passar automaticamente do prazer para um certo grau de repulsa.* Você também pode ficar desgostoso com os legumes no guisado, como se eles estivessem de alguma forma contaminados pela carne.

Mas vamos supor que sua amiga ri e diz que estava brincando. A carne, na realidade, não é de *golden retriever*, é de vaca. Como você se sente agora em relação à comida? Seu apetite é plenamente restaurado? Você volta a comer com o mesmo entusiasmo que tinha quando iniciou a refeição? É provável que, mesmo sabendo que o guisado que está no prato é exatamente a mesma comida que fora saboreada momentos atrás, você sentisse algum desconforto emocional residual, desconforto que poderia continuar a afetá-lo da próxima vez que você se sentasse diante de um guisado de carne.

O que está acontecendo aqui? Por que certas comidas causam essas reações emocionais? Como pode a mesma comida, rotulada de uma forma, ser considerada extremamente saborosa e, quando rotulada de outra maneira, tornar-se praticamente intragável? Na realidade, o ingrediente principal do guisado – carne – absolutamente não se alterou. No início era carne animal e continuou a sê-lo. Mas por um momento se tornou – ou pareceu se tornar – carne de outro animal. Por que temos reações tão radicalmente diferentes a um bife de vaca e a uma carne de cachorro?

A resposta a essas perguntas pode ser resumida numa única palavra: *percepção*. Reagimos de modo diverso a diferentes tipos de carne não porque haja uma diferença física entre eles, mas porque a percepção que temos deles é diferente.

O Problema de Comer Cachorros

Tal mudança na percepção pode parecer uma mudança de pista numa estrada de duas pistas: cruzar a faixa amarela altera radicalmente nossa experiência. A razão de darmos uma resposta tão rigorosa a uma mudança na percepção é que nossas percepções determinam,

---

* Embora alguns indivíduos possam sentir curiosidade em vez de repulsa com a ideia de comer cães, nos Estados Unidos tais pessoas representam uma minoria e este livro se refere à experiência dos americanos em geral.

em grande parte, nossa realidade; como percebemos uma situação – o significado que lhe atribuímos – determina o que pensamos e como nos sentimos acerca dela. Por sua vez, nossos pensamentos e sensações frequentemente determinam como vamos agir. A maioria dos americanos encara a carne de cachorro de modo muito diferente da carne de vaca; por essa razão, a carne de cachorro evoca respostas mentais, emocionais e comportamentais muito diferentes.*

Uma razão para termos percepções tão diversas de carne bovina e carne de cachorro é porque vemos vacas** e cachorros de modo muito diferente. O contato mais frequente – e muitas vezes o único – que temos com vacas ocorre quando as comemos (ou as usamos). Mas para um grande número de americanos, nossa relação com cachorros não é, sob muitos aspectos, assim tão diferente de nossa relação com as pessoas: nós os chamamos pelo nome. Dizemos até logo quando saímos e os cumprimentamos na volta. Compartilhamos nossa cama com eles. Brincamos com eles. Compramos presentes para dar a eles. Carregamos suas fotos na carteira. Levamos ao veterinário quando estão doentes e podemos gastar milhares de dólares com o tratamento. Nós os enterramos quando morrem. Eles nos fazem rir; nos fazem chorar. São nossos ajudantes, nossos amigos, nossa família. Nós os amamos. Amamos os cães e comemos as vacas não porque cães e vacas sejam fundamentalmente diferentes – assim como os cães, as vacas têm sentimentos, preferências e consciência –, mas porque a *percepção* que temos deles é diferente. E, consequentemente, a percepção que temos de sua carne também é diferente.

---

* Em culturas pelo mundo afora, é comum rejeitar a carne de certas espécies de animais. E tabus com relação ao consumo de carne são muito mais comuns que os relativos a outros alimentos. Além disso, violações dos tabus sobre a carne provocam as mais fortes reações emocionais – geralmente nojo – e são acompanhadas das sanções mais severas. Pense nas proibições alimentares aplicadas pelas principais religiões do mundo; seja a restrição temporária (como quando os cristãos evitam a carne durante a Quaresma) ou permanente (como acontece com certos budistas que mantêm um estilo de vida vegetariano), a carne é quase sempre o objeto do tabu.

** Embora a carne bovina venha tanto de vacas quanto de bois, uso, por questões de simplicidade e estilo, "vacas" neste capítulo para me referir a todos os bovinos.

Além de nossas percepções de carne variar de acordo com a espécie de animal de que ela provém, diferentes seres humanos podem encarar a mesma carne de modo distinto. Por exemplo, um hindu pode reagir à carne de vaca da mesma maneira que um cristão americano reagiria à carne de cachorro. Essas variações em nossas percepções se devem a nosso *esquema*. Um esquema é uma estrutura psicológica que dá forma a – e é formada por – nossas crenças, ideias, percepções, experiências, e que organiza e interpreta automaticamente a informação que recebemos. Por exemplo, ao ouvir a palavra "enfermagem" provavelmente imaginamos uma mulher de uniforme branco e que trabalha num hospital. Embora muitos profissionais de enfermagem sejam homens, não usem o uniforme tradicional ou trabalhem fora de um hospital, nosso esquema, a não ser que estejamos em contato frequente com enfermeiros, homens e mulheres, em ambientes variados, conservará essa imagem generalizante. As generalizações vêm do fato de os esquemas fazerem o que se espera que façam: classificar e interpretar a enorme quantidade de estímulos a que estamos continuamente expostos e depois distribuí-los em categorias gerais. Os esquemas agem como sistemas de classificação mental.

Temos um esquema para cada coisa, incluindo os animais. Um animal pode ser classificado, por exemplo, como presa, predador, praga, bicho de estimação ou comida. O modo como classificamos um animal determina, por sua vez, como nos relacionamos com ele – se o caçamos, fugimos dele, se o exterminamos, amamos ou comemos. Pode ocorrer uma sobreposição entre as categorias (um animal pode ser presa *e* alimento), mas quando se trata de carne, a maioria dos animais é ou comida ou não comida. Em outras palavras, temos um esquema que classifica os animais como comestíveis ou não comestíveis.*

* Os esquemas podem estar hierarquicamente estruturados, com subesquemas embutidos em esquemas mais complexos ou gerais. Por exemplo, temos um esquema geral para "animal" e dentro deste há subesquemas para "comestível" e "não comestível". Esses subesquemas, por sua vez, podem ser decompostos em subesquemas adicionais; por exemplo, animais "comestíveis" podem consistir em "caça" e em animais "domesticados" ou "de criação".

E algo interessante acontece quando nos defrontamos com a carne de um animal que classificamos como não comestível: automaticamente imaginamos o animal vivo do qual ela vem e tendemos a sentir repugnância ante a ideia de comê-lo. O processo perceptivo ocorre nesta sequência:

carne de golden retriever *(estímulo)*
⇩
animal não comestível (crença/percepção)
⇩
imagem de cachorro vivo (pensamento)
⇩
repugnância (sentimento)
⇩
recusa ou relutância em comer (ação)

Vamos voltar ao nosso jantar imaginário, quando você ficou sabendo que estava comendo carne de *golden retriever*. Se essa situação tivesse mesmo ocorrido, você teria sentido os mesmos aromas e degustado os mesmos sabores que havia acabado de experimentar momentos atrás. Mas agora sua mente provavelmente teria formado a imagem de um *golden retriever*, talvez pulando num quintal atrás de uma bola, encolhido diante de uma lareira ou acompanhando alguém que corre. E essas imagens provavelmente trariam emoções como empatia ou interesse pelo cachorro que fora morto e, portanto, repugnância ante a ideia de comer aquele animal.

Em contrapartida, se você é como a maioria das pessoas, ao sentar-se para comer um bife comum não visualiza o animal de que a carne se origina. Em vez disso, simplesmente vê "comida" e se concentra em seu sabor, aroma e textura. Quando nos defrontamos com carne de vaca, geralmente pulamos a parte do processo perceptivo que faz a conexão mental entre a carne e o animal vivo. Certamente, todos nós sabemos que o bife vem de um animal, mas quando o comemos, tendemos a não pensar no fato. Literalmente, milhares de pessoas com quem tenho falado, tanto por intermédio do meu trabalho profissional quanto pessoalmente, admitiram que, se realmente pensassem numa vaca viva quando estivessem comendo um bife, se sentiriam incomodadas – e às vezes mesmo incapazes de comê-lo. É por isso que muitas pessoas evitam comer carne que lembre o animal de que ela foi obtida; raramente a carne é servida com a cabeça ou outras partes do corpo intactas. Num estudo interessante, por exemplo, pesquisadores dinamarqueses descobriram que as pessoas se sentiam mal comendo carne que lembrasse sua fonte animal, preferindo que a carne fosse servida em pequenos pedaços, não em cortes inteiros.[1] Contudo, mesmo que façamos a conexão consciente entre vacas e bife, ainda nos sentimos menos perturbados comendo bife do que nos sentiríamos se estivéssemos comendo carne de *golden retriever*, já que normalmente, na cultura americana, os cães não se destinam a ser comidos.

O fato é que o modo como nos sentimos em relação a um animal e a maneira como o tratamos depende muito menos do tipo de animal que ele é que da percepção que temos dele. Como acreditamos que é adequado comer vacas mas não cachorros, encaramos as vacas como animais comestíveis, os cachorros como não comestíveis e agimos de acordo com isso. E esse processo é cíclico; não somente nossas crenças acabam levando a nossas ações, mas nossas ações também reforçam nossas crenças. Quanto mais comemos vacas e deixamos de comer cachorros, mais reforçamos a crença de que cachorros não são comestíveis e vacas são.

Gosto Adquirido

Embora os seres humanos possam ter uma tendência inata para ver com bons olhos os sabores açucarados (tendo sido o açúcar uma fonte útil de calorias) e a evitar os que são amargos e ácidos (tais sabores indicam com frequência uma substância venenosa), a maior parte de nosso gosto é, de fato, construído. Em outras palavras, dentro do amplo repertório do paladar humano, gostamos dos alimentos de que, segundo aprendemos, *devíamos* gostar. A comida, particularmente a de origem animal, é extremamente simbólica e é esse simbolismo, unido à tradição e reforçado por ela, que é em grande parte responsável por nossas preferências alimentares. Por exemplo, poucos apreciam comer caviar até terem idade suficiente para compreender que gostar de caviar significa ser sofisticado e refinado;

na China, as pessoas comem pênis de animais porque acreditam que isso influencia a função sexual.

Apesar do fato de que o gosto é em grande parte adquirido por meio da cultura, as pessoas tendem, mundo afora, a encarar suas preferências como racionais e qualquer desvio como chocante e repugnante. Por exemplo, muitas pessoas sentem repulsa ante a ideia de tomar leite, que foi extraído das tetas das vacas. Outras não podem imaginar-se comendo *bacon*, presunto, carne de vaca ou frango. Alguns encaram o consumo de ovos como semelhante ao consumo de fetos (o que, tecnicamente, é correto). E imagine como podemos nos sentir ante a noção de comer tarântulas bem-passadas na frigideira (com pelos, garras e tudo), como fazem no Camboja; patê de testículos de carneiro, um prato ácido, servido com picles, como fazem alguns na Islândia; ou embriões de patos (ovos que foram fertilizados e contêm aves parcialmente formadas com penas, ossos e asas incipientes), como fazem em certas partes da Ásia. Quando se trata de alimentos de origem animal, todos os gostos podem ser gostos adquiridos.[2]

O Elo Perdido

É um fenômeno curioso o modo como reagimos à ideia de comer cachorros e outros animais não comestíveis. Ainda mais estranho, porém, é o modo como *não* reagimos à ideia de comer vacas e outros animais comestíveis. Há uma disparidade, uma lacuna, um elo perdido, em nosso processo perceptivo quando se trata de espécies comestíveis; não conseguimos fazer a conexão entre a carne e sua fonte animal. Você já se perguntou por que, dentre dezenas de milhares de espécies animais, você provavelmente sente repugnância ante a ideia de comer praticamente todos, com exceção de um pequeno punhado deles? O que mais impressiona em nossa seleção de animais comestíveis e não comestíveis não é a *presença* de repugnância, mas a *ausência* dela. Por que *não* temos aversão a comer a tão pequena seleção de animais que julgamos comestíveis?[3]

Os dados disponíveis sugerem fortemente que nossa falta de repugnância é em grande parte, se não inteiramente, aprendida. Não nascemos com nossos esquemas; eles são construídos. Nossos esquemas se desenvolveram a partir de um sistema de crenças altamente estruturado. Esse sistema dita que animais são comestíveis e nos capacita a consumi-los sem experimentar qualquer desconforto emocional ou psicológico. O sistema nos ensina a *não sentir*. O sentimento mais evidente que perdemos é o da repugnância, mas por trás dela se esconde uma emoção que pesa muito mais em nosso modo de ser: nossa empatia.

Da Empatia à Apatia

Mas por que o sistema chegaria a ponto de bloquear nossa empatia? Por que tantas acrobacias psicológicas? A resposta é simples: porque nos importamos com os animais e não queremos que sofram. E porque os comemos. Há incoerência entre nossos valores e nossos comportamentos e essa incoerência nos causa um certo grau de desconforto moral. Para reduzir o desconforto, temos três opções: podemos alterar nossos valores, fazendo-os combinar com nossos comportamentos; podemos alterar nossos comportamentos, fazendo-os combinar com nossos valores; ou podemos alterar nossa *percepção* de nossos comportamentos para que eles *pareçam* combinar com nossos valores. É em torno dessa terceira opção que nosso esquema da carne está moldado. Como nem somos a favor do sofrimento animal inútil nem deixamos de comer animais, nosso esquema distorcerá nossas percepções dos animais e da carne que comemos, a fim de que possamos nos sentir suficientemente à vontade para consumi-los. E o sistema que constrói nosso esquema da carne nos equipa com os meios para que isso aconteça.

O elemento principal do sistema é o *entorpecimento psíquico*. O entorpecimento psíquico é um processo psicológico pelo qual nos desconectamos, mental e emocionalmente, de nossa experiência; nós nos "entorpecemos". Em si e por si mesmo, o entorpecimento psíquico não é um mal; é uma parte normal, inevitável, da vida cotidiana, que nos permite funcionar num mundo violento e imprevisível, enfrentando nossa dor quando somos vítimas da violência. Por exemplo, provavelmente ficaríamos muito tensos ao dirigir numa estrada se adquiríssemos plena consciência de estarmos disparando pela pista num pequeno veículo de metal cercados por milhares de outros velozes veículos de metal. E se tivéssemos o infortúnio de sermos vítimas de um acidente, provavelmente ficaríamos em choque e permaneceríamos nesse estado até sermos psicologicamente capazes de lidar com a realidade do que havia acontecido. O entorpecimento psíquico facilita a adaptação, é benéfico, quando nos ajuda a *enfrentar* a violência. Mas dificulta a adaptação, é destrutivo, quando é usado para *possibilitar* a violência, mesmo se essa violência está tão afastada de nós quanto os frigoríficos onde os animais são transformados em carne.

O entorpecimento psíquico é constituído de um complexo conjunto de defesas e outros mecanismos, que são onipresentes, poderosos, invisíveis e operam simultaneamente nos níveis social e psicológico. Esses mecanismos distorcem nossa percepção e nos distanciam de nossos sentimentos, convertendo a empatia em apatia – na verdade, o processo pelo qual aprendemos a não sentir é o tema central deste livro. Os mecanismos de entorpecimento psíquico incluem: o ato de negar, o ato de evitar, a rotinização, a justificação, a objetivação, a desindividualização, a dicotomização, a racionalização e a dissociação. Nos capítulos seguintes, examinaremos cada um desses aspectos do entorpecimento psíquico e desconstruiremos o sistema que transforma animais em carne e carne em alimento. Isso nos levará a examinar as características desse sistema e os meios pelos quais ele obtém nosso apoio permanente.

O Entorpecimento Através das Culturas e da História: Variações sobre um Tema

Eu me pergunto frequentemente se as pessoas de diferentes épocas e culturas também usaram o entorpecimento psíquico para matar e consumir animais. Caçadores tribais, por exemplo, precisam se entorpecer quando se apoderam de suas presas? Antes da Revolução Industrial, quando muitos americanos obtinham eles próprios a carne que consumiam, teriam eles de se distanciar emocionalmente dos animais?

Seria impossível sustentar que pessoas de todas as culturas, em todas as épocas, empregaram o mesmo entorpecimento psíquico que aqueles que vivem nas sociedades industrializadas contemporâneas e que não têm necessidade de carne para sobreviver. O contexto determina, em grande parte, como uma pessoa reagirá ao consumo de carne. Nossos valores, moldados em grande parte por estruturas sociais e culturais mais amplas, ajudam a determinar o esforço psicológico que precisamos fazer para nos distanciarmos da realidade de estarmos comendo um animal. Em sociedades onde a carne foi necessária para a sobrevivência, as pessoas não puderam se dar ao luxo de refletir sobre a ética de suas opções; seus valores deviam dar suporte à ingestão de animais e eles provavelmente ficariam menos constrangidos com a noção de que estavam comendo carne. Também a maneira de matar os animais afeta nossa reação psicológica. A crueldade é com frequência mais perturbadora que a morte.

Contudo, mesmo nos casos em que a ingestão de carne foi uma necessidade e os animais foram mortos sem a violência gratuita que caracteriza os matadouros de hoje, as pessoas sempre evitaram comer certos tipos de animais e fizeram esforços consistentes para conciliar a matança e o consumo daqueles que ingeriam. Os exemplos estão cheios de ritos, rituais e sistemas de crenças que aliviam a consciência do consumidor de carne: o carnívoro e/ou comedor de carne pode executar cerimônias de purificação depois de tirar uma vida; ou pode considerar que o animal foi "sacrificado" para o consumo humano, uma perspectiva que confere ao ato um sentido espiritual e sugere alguma opção com relação à presa. Além disso, em tempos tão recuados quanto 600 anos a.C., já havia gente que preferia evitar o consumo de carne por razões éticas, demonstrando como é antiga a tensão psicológica e moral que cerca a ingestão de carne. É certamente possível que o entorpecimento psíquico tenha desempenhado um papel – ainda que em graus variados e sob diferentes formas – através das culturas e durante toda a história.

A principal defesa do sistema é a invisibilidade; a invisibilidade reflete as defesas *evitar* e *negar* e é a base sobre a qual repousam todos os outros mecanismos. A invisibilidade nos permite, por exemplo, consumir o bife comum sem imaginar o animal que estamos comendo; ela esconde nossos pensamentos de nós mesmos. A invisibilidade também nos conserva bem isolados do desagradável processo de criar e matar animais para nos alimentarmos. O primeiro passo, então, na desconstrução da carne é a desconstrução da invisibilidade, expondo os princípios e as práticas de um sistema que tem, desde seus primórdios, permanecido oculto.

Capítulo 2

Carnismo: "As Coisas São Assim Mesmo"

O invisível e o não existente parecem muito semelhantes.
– Delos B. McKown

Os limites de minha linguagem indicam os limites de meu mundo.
– Ludwig Wittgenstein

No Capítulo 1, fizemos uma experiência mental. Imaginamos que você estava num jantar, saboreando uma refeição deliciosa, quando sua amiga lhe disse que o guisado continha carne de cachorro. Investigamos suas reações a isso e, depois, ao fato de sua amiga ter dito que estava brincando e que você estava, de fato, comendo carne de vaca.

Vamos tentar outro exercício. Detenha-se um momento pensando, sem autocensura, em todas as palavras que lhe vêm à mente quando você imagina um cachorro. Em seguida faça a mesma coisa, mas dessa vez imagine um porco. Agora faça uma pausa e compare suas descrições desses animais. O que você nota? Quando imaginou um cachorro, você pensou "engraçadinho"? "Leal"? E quando imaginou um porco, pensou na palavra "lama" ou "suor"? Pensou em "sujo"? Se suas respostas foram parecidas com essas, você faz parte da maioria.

Dou aulas de psicologia e sociologia numa universidade local e, a cada semestre, dedico uma aula inteira às atitudes com relação aos animais. Já lecionei literalmente para milhares de alunos no correr dos anos, mas toda vez que faço esse exercício, a conversa se desenvolve essencialmente da mesma maneira, com respostas parecidas.

Primeiro, como acabei de fazer com você, peço que os alunos façam uma lista das características de cachorros, depois das características de porcos e vou anotando as listas no quadro-negro à medida que elas são criadas. Para cachorros, os adjetivos habituais incluem, além daqueles que já mencionei, "simpático", "inteligente", "engraçado", "carinhoso", "protetor" e às vezes "perigoso". Como era de se esperar, os porcos ficam com uma lista muito menos lisonjeira de qualificativos. São "suados" e "sujos", assim como "estúpidos", "preguiçosos", "gordos" e "feios". Em seguida, peço que os alunos expliquem como se sentem com relação a cada uma dessas espécies. De novo não chega a ser exatamente uma surpresa ver que, em geral, eles no mínimo gostam de cachorros (com frequência os adoram) e ficam "enojados" com porcos. Finalmente, peço que descrevam seu relacionamento com cachorros e porcos. Cachorros, é claro, são nossos amigos e membros da família e porcos são comida.

Nesse ponto, os alunos começam a parecer confusos, sem saber para onde nossa conversa está levando. Faço então uma série de perguntas em resposta às suas afirmações anteriores e o diálogo se desenvolve mais ou menos assim:

– Então por que vocês dizem que os porcos são preguiçosos?

– *Porque ficam o dia inteiro deitados.*

– Os porcos na natureza fazem isso ou só os porcos criados para o abate?

– *Não sei. Talvez quando estão numa fazenda.*

– Por que vocês acham que porcos numa fazenda... ou no confinamento de um frigorífico, para ser mais exata... ficam deitados?

– *Provavelmente porque estão num pequeno cercado ou enjaulados.*

– O que torna os porcos estúpidos?

– *Eles são assim mesmo.*

– Na realidade os porcos são considerados até mais inteligentes do que os cachorros.

(Às vezes um estudante entra na conversa, afirmando ter encontrado um porco ou ter conhecido alguém que tinha um porco como animal de estimação e ilustrando isso com uma ou duas histórias.)

– Por que vocês dizem que os porcos suam?

Nenhuma resposta.

– Vocês sabiam que, na realidade, os porcos nem têm glândulas sudoríparas?

– Todos os porcos são feios?

– *Sim.*

– E os leitãozinhos?

– *Os leitãozinhos são engraçadinhos, mas os porcos são nojentos.*

– Por que vocês dizem que os porcos são sujos?

– *Eles rolam na lama.*

– Por que eles rolam na lama?

– *Porque gostam de sujeira. Eles são sujos.*

– Na realidade, eles rolam na sujeira para se refrescarem quando está calor, pois não suam.

– Os *cachorros* são sujos?

– *Sim, às vezes. Cachorros podem fazer coisas realmente nojentas.*

– Por que não incluíram "sujo" na lista dos cachorros?

– *Porque eles não são sempre sujos. Só às vezes.*

– Os porcos são sempre sujos?

– *Sim, são.*

– Como você sabe disso?

– *Porque eles sempre parecem sujos.*

– Quando você os vê?

– *Não sei. Acho que em imagens.*

– E eles estão sempre sujos nas imagens?

– *Não, nem sempre. Os porcos não estão sempre sujos.*

– Vocês disseram que os cachorros são leais, inteligentes e engraçadinhos? Por que dizem isso? Como sabem?

– *É o que tenho visto.*

– *Tenho convivido com cachorros.*

– *Tenho encontrado muitos cachorros.*

(Inevitavelmente, um ou mais alunos compartilham uma história sobre um cachorro que fez algo particularmente heroico, engenhoso ou adorável.)

– E quanto aos sentimentos dos cachorros? Como podem saber que eles realmente têm emoções?

– *Juro que meu cachorro fica deprimido quando estou pra baixo.*

– *Minha cadela sempre ficava com aquele olhar de culpa e se escondia embaixo da cama quando sabia ter feito alguma coisa errada.*

– *Sempre que levamos meu cachorro ao veterinário ele treme, ele é muito apavorado.*

– *Nosso cachorro costumava chorar e parar de comer quando nos via fazer as malas para sair de férias.*

– Alguém aqui acha possível que os cachorros não tenham sentimentos?

(Ninguém levanta a mão.)

– E quanto aos porcos? Vocês acham que os porcos têm emoções?

– *Com certeza.*

– Acham que eles têm as mesmas emoções que os cachorros?

– *Talvez. Sim, eu acho.*

– Realmente a maioria das pessoas não sabe disso, mas os porcos são tão sensíveis que desenvolvem comportamentos neuróticos, como a automutilação, quando em cativeiro.

– Vocês acham que os porcos sentem dor?

– *Claro. Todos os animais sentem dor.*

– Então por que comemos porcos e não cachorros?

– *Porque o* bacon *é gostoso* (risos).

– *Porque os cachorros têm personalidade. Não se pode comer algo que tem uma personalidade. Eles têm nomes; são indivíduos.*

– Vocês acham que os porcos têm personalidade? Eles são indivíduos, como os cachorros?

– *Sim, acho que, se chegarmos a conhecê-los, eles provavelmente são.*

– Vocês já encontraram um porco?

(Exceto em algum caso excepcional, a maioria não.)

– De onde então obtiveram as informações sobre os porcos?

– *Livros.*

– *Televisão.*

– *Anúncios.*

– *Filmes.*

– *Não sei. Da sociedade, eu acho.*

– Como vocês se sentiriam com relação a porcos se pensassem neles como indivíduos inteligentes, sensíveis, que talvez não sejam suados, preguiçosos e comilões? Se chegassem a conhecê-los diretamente, como conhecem os cachorros?

– *Eu acharia esquisito comê-los. Provavelmente sentiria um pouco de culpa.*

– Então por que comemos porcos e não cachorros?

– *Porque os porcos são criados para serem comidos.*

– Por que criamos porcos para comê-los?

– *Não sei. Nunca pensei sobre isso. Acho que é porque as coisas são assim mesmo.*

As coisas são assim mesmo. Pare um instante para pensar nessa declaração. Realmente reflita sobre ela. Mandamos uma espécie para o açougueiro e damos a outra nosso amor e generosidade aparentemente pela única razão de *as coisas serem assim mesmo*. Quando nossas atitudes e comportamentos com relação aos animais são tão incoerentes e essa incoerência não é nem de longe investigada, podemos sem a menor dúvida dizer que temos sustentado disparates. É absurdo que comamos porcos e amemos cachorros sem ao menos saber por quê. Muita gente passa longos minutos no corredor da farmácia meditando sobre o creme dental que vai comprar. A maioria, contudo, não gasta tempo algum pensando nas espécies de animal que come e por quê. Nossas opções como consumidores impulsionam uma indústria que mata 10 bilhões* de animais por ano, só nos Estados Unidos. Se optamos por sustentar essa indústria e nossa melhor justificativa é dizer que as coisas são assim mesmo, sem dúvida há algo errado. O que pode fazer toda uma sociedade de pessoas abrir mão de sua capacidade de reflexão – *sem nem ao menos perceber que está fazendo isso?* Embora a questão seja bastante complexa, a resposta é bastante simples: o carnismo.

Carnismo

Todos nós sabemos o que é um vegetariano – uma pessoa que não come carne. Embora algumas pessoas possam preferir se tornar vegetarianas para melhorar a saúde, muitos vegetarianos param de comer carne porque não acreditam que seja ético comer animais. Geralmente percebemos que o vegetarianismo é expressão da orientação ética da pessoa. Por isso, quando pensamos num vegetariano ou numa vegetariana, não imaginamos simplesmente alguém que é como todo mundo, com a única exceção de não comer carne. Imaginamos uma pessoa que tem um certo ponto de vista filosófico e cuja opção de não comer carne é reflexo de um sistema de crenças mais profundo, no qual matar animais para atender a objetivos humanos é considerado antiético. Compreendemos que o vegetarianismo reflete não apenas uma orientação dietética, mas um modo de vida. É por isso, por exemplo, que quando há um personagem vegetariano num filme, ele ou ela é descrito não simplesmente como uma pessoa que evita carne, mas como alguém que possui um certo conjunto de qualidades que associamos aos vegetarianos, como ser um amante da natureza ou ter valores não convencionais.

---

*Embora bilhões de criaturas marinhas sejam abatidos anualmente nos Estados Unidos, os animais "comida" a que me refiro, exceto onde foi indicado, são animais de terra.

Se um vegetariano é alguém que acredita que é antiético comer carne, como, então, vamos chamar uma pessoa que acredita que é ético comer carne? Se um vegetariano é uma pessoa que opta por não comer carne, o que é uma pessoa que opta por *comer* carne?

Geralmente, usamos o termo "comedor de carne" para descrever alguém que não é vegetariano. Mas até que ponto isso é exato? Como demonstramos, um vegetariano não é apenas um "comedor de vegetais". Comer vegetais é um *comportamento* que deriva de um sistema de crenças. "Vegetariano" reflete de forma precisa que há um sistema central de crenças em ação: aqui o sufixo "ariano" indica uma pessoa que defende, sustenta ou pratica uma doutrina ou conjunto de princípios.

Em contraposição, o termo "comedor de carne" isola a prática de consumir carne, como se ela não tivesse relação com as crenças e valores da pessoa. Sugere que a pessoa que come carne está agindo *fora* de um sistema de crenças. Mas será que comer carne é de fato um comportamento que existe independentemente de um sistema de crenças? Comemos porcos e não cachorros porque não temos um sistema de crenças quando se trata de comer animais?

Em grande parte do mundo industrializado, comemos carne não porque tenhamos de comer; comemos carne porque optamos por isso. Não precisamos de carne para sobreviver ou mesmo para sermos saudáveis; milhões de vegetarianos saudáveis, que tiveram uma vida longa, provaram esse ponto. Comemos animais simplesmente porque é o que sempre fizemos e porque gostamos do sabor que têm. A maioria das pessoas come animais porque as coisas são assim mesmo.

Não vemos o ato de comer carne como vemos o vegetarianismo – como opção, baseada num conjunto de pressupostos sobre os animais, sobre o nosso mundo e sobre nós mesmos. Nós o vemos, em vez disso, como um dado, a coisa "natural" a fazer, o modo como as coisas sempre foram e o modo como as coisas sempre serão. Comemos animais sem pensar no que e por que estamos fazendo pelo fato de o sistema de crenças que está por trás desse comportamento ser invisível. Esse sistema de crenças invisível é o que chamo de *carnismo.*

O carnismo é o sistema de crenças que nos condiciona a comer certos animais. Muitas vezes definimos as pessoas que comem carne como carnívoras. Mas, carnívoros são, por definição, animais que dependem da carne para sobreviver. Os consumidores de carne não são meramente onívoros. Um onívoro é um animal – humano ou não humano – que tem aptidão fisiológica para ingerir tanto vegetais quanto carne. Mas tanto "carnívoro" como "onívoro" são termos que descrevem a constituição biológica do indivíduo, não uma opção filosófica. Em grande parte do mundo de hoje as pessoas comem carne não porque precisem, mas porque optaram por comê-la, e as opções derivam sempre das crenças.

A invisibilidade do carnismo explica por que as opções não parecem absolutamente ser opções. Mas, para começar, por que o carnismo tem permanecido invisível? Por que não lhe demos um nome? Há uma razão muito boa para isso. O fato é que o carnismo é um tipo particular de sistema de crenças, uma *ideologia*, e é também um tipo particular de ideologia, um tipo que é especialmente resistente ao escrutínio. Vamos dar uma olhada em cada uma dessas características do carnismo.

> *Se o problema é invisível...*
> *então haverá invisibilidade ética.*
> *– Carol J. Adams*

Carnismo, Ideologia e o *Status Quo*

Uma ideologia é um conjunto compartilhado de crenças, assim como as práticas que refletem essas crenças. Por exemplo, o feminismo é uma ideologia. Os feministas são homens e mulheres que acreditam que as mulheres merecem ser encaradas e tratadas como iguais aos homens. Como os homens constituem o grupo social dominante (o grupo que detém o poder na sociedade), os feministas desafiam a predominância masculina em cada frente, do lar à arena política. A ideologia feminista constitui a base das crenças e práticas feministas.

É razoavelmente fácil reconhecer o feminismo como uma ideologia, assim como é fácil compreender que o vegetarianismo não diz respeito apenas a não comer carne.

Tanto "feminista" quanto "vegetariano" evocam imagens de uma pessoa que tem um certo conjunto de crenças, alguém que não é como todos os outros.

E quanto então a "todos os outros"? Quanto à maioria, à corrente principal, a todas as pessoas "normais"? De onde vêm suas crenças?

Tendemos a encarar o estilo de vida dominante como um reflexo de valores universais. Contudo, o que consideramos normal não é, de fato, nada mais que as crenças e comportamentos da maioria. Antes da revolução científica, por exemplo, as crenças europeias dominantes sustentavam que o céu era constituído de esferas celestes que giravam em torno da Terra, sendo a Terra o centro sublime do universo. Essa crença estava tão arraigada que proclamar outra coisa, como fez Copérnico e mais tarde Galileu, era correr risco de morte. Então, aquilo a que nos referimos como corrente principal é simplesmente outro modo de descrever uma ideologia que se acha tão difundida – tão *arraigada* – que seus pressupostos e práticas são vistos como mero bom senso. É considerada fato em vez de opinião; suas práticas são um dado, em vez de uma opção. É a norma. É o modo como as coisas são. E é a razão pela qual o carnismo não recebeu até agora um nome.

Quando uma ideologia está arraigada, ela é essencialmente invisível. Exemplo de uma ideologia invisível é o *patriarcado*, a ideologia em que a masculinidade é mais valorizada que a feminilidade e na qual os homens, portanto, têm mais poder social que as mulheres. Avalie, por exemplo, quais das seguintes qualidades têm mais probabilidade de tornar alguém social e financeiramente bem-sucedido: caráter assertivo, passividade, competitividade, capacidade de compartilhar, controle, autoridade, poder, racionalidade, emotividade, independência, dependência, capacidade de nutrir, vulnerabilidade. Há maior probabilidade de que você tenha preferido as qualidades que são masculinas, sem perceber que suas opções refletem valores patriarcais; a maioria das pessoas não vê o patriarcado como uma ideologia que nos ensina a pensar e a agir de uma certa maneira. Tanto homens quanto mulheres simplesmente aceitam que é melhor sermos, por exemplo, mais racionais e menos emocionais, embora essas duas qualidades sejam igualmente necessárias para o nosso bem-estar.

O patriarcado existiu durante milhares de anos antes que as feministas dessem um nome a essa ideologia. Foi esse também o caso do carnismo. Curiosamente, a ideologia do vegetarianismo foi identificada há mais de 2.500 anos; os que optavam por não comer carne eram chamados de "pitagóricos", porque seguiam a filosofia alimentar de Pitágoras, o antigo filósofo e matemático grego. Mais tarde, no século XIX, foi cunhado o termo "vegetariano". Mas só agora, séculos após a rotulação dos que não comem carne, a ideologia da ingestão de carne ganhou seu nome.

Sob certos aspectos, faz realmente sentido que o vegetarianismo tenha recebido seu nome antes do carnismo. É mais fácil reconhecer as ideologias que não se enquadram na corrente dominante. Mas há outra razão mais importante para o vegetarianismo ter sido rotulado e o carnismo não. O modo básico de as ideologias arraigadas ficarem arraigadas é permanecerem invisíveis. E o modo básico de ficarem invisíveis é permanecerem sem denominação. Se não lhes damos um nome, não podemos falar sobre elas e se não podemos falar sobre elas, não podemos questioná-las.

> *Tudo que não tem nome, que não é descrito em imagens... tudo que é erradamente chamado como se fosse outra coisa, da qual se tornou difícil nos aproximarmos, tudo que é enterrado na memória, pelo colapso do significado, sob uma linguagem inadequada ou mentirosa – vai se tornar não meramente não dito, mas indizível.*
>
> – Adrienne Rich

Carnismo, Ideologia e Violência

Embora seja difícil, se não impossível, questionar uma ideologia que nem sabemos que existe, isso se torna ainda mais difícil quando a ideologia trabalha ativamente para se manter oculta. É esse o caso de ideologias como o carnismo. Classifico esse tipo particular de ideologia como *ideologia violenta*, porque está literalmente organizada em torno da violência física. Em outras palavras, se eliminássemos a violência do sistema – parássemos de matar animais – o sistema deixaria de existir. A carne não pode ser obtida sem o abate.

O carnismo contemporâneo está organizado em torno de grande violência. Esse nível de violência é necessário a fim de serem abatidos animais em número suficiente para a indústria de carne manter sua atual margem de lucro. A violência do carnismo é tal que a maioria das pessoas não se dispõe a testemunhá-la e aquelas que o fazem podem ficar seriamente perturbadas. Em minhas aulas, quando mostro um filme sobre a produção de carne, tenho de tomar uma série de providências para garantir que o ambiente psicológico seja suficientemente seguro para expor os alunos a sequências de imagens que inevitavelmente lhes causam angústia. E tenho trabalhado pessoalmente com numerosos defensores do vegetarianismo que sofrem de Transtorno de Estresse Pós-Traumático (TEPT) como resultado de exposição prolongada ao processo de abate; eles têm pensamentos obsessivos, pesadelos, *flashbacks*, dificuldade de concentração, ansiedade, insônia e vários outros sintomas. Em quase duas décadas falando e ensinando sobre produção de carne, ainda não encontrei ninguém que não estremeça ao se defrontar com imagens de abate. Em geral as pessoas detestam ver animais sofrendo.

Por que detestamos ver animais sofrendo? Porque nos compadecemos dos outros seres sencientes. A maioria das pessoas, mesmo as que não são exatamente "amantes dos animais", não quer fazer ninguém (humano ou animal) sofrer, principalmente se esse sofrimento é intenso e desnecessário. É por essa razão que ideologias violentas têm um conjunto especial de defesas que possibilitam que pessoas benévolas apoiem práticas desumanas sem sequer perceber o que estão fazendo.

Disposição Antinatural de Matar

Existe uma massa substancial de evidências demonstrando a aversão aparentemente natural dos humanos a matar. Grande parte da pesquisa nessa área tem sido realizada pelos militares; os analistas descobriram que os soldados tendem a atirar intencionalmente acima da cabeça do inimigo ou a não atirar absolutamente.

Estudos da atividade de combate durante as guerras napoleônicas e a Guerra Civil Americana revelaram estatísticas impressionantes. Dada a perícia dos homens, sua proximidade do inimigo e a capacidade das armas, o número de soldados inimigos atingidos deveria ter sido bem superior a 50%, resultando numa taxa de mortandade de centenas por minuto. Em vez disso, no entanto, a taxa de acerto foi de apenas um ou dois por minuto. E ocorreu um fenômeno similar durante a Primeira Guerra Mundial: segundo o tenente britânico George Roupell, seu único meio de conseguir que os homens parassem de atirar para o ar foi puxar a espada e percorrer a trincheira "batendo em seus traseiros e... mandando que atirassem para baixo".[4] As taxas de disparo na Segunda Guerra Mundial também foram notavelmente baixas: o historiador e general-de-brigada S. L. A. Marshall, do exército norte-americano, relatou que, durante as batalhas, a taxa de disparo foi de 15% a 20%; em outras palavras, de cada cem homens envolvidos numa troca de tiros, só quinze a vinte usavam realmente as armas. E no Vietnã, para cada soldado inimigo morto, eram disparadas mais de 50 mil balas.[5]

O que esses estudos ensinaram aos militares é que, para conseguir que os soldados atirem para matar, participando ativamente da violência, eles devem ser suficientemente dessensibilizados com relação ao ato de matar. Em outras palavras, têm de *aprender a não sentir* – e a não se sentirem responsáveis – por suas ações. Devem ser ensinados a ignorar sua consciência. Esses estudos, no entanto, também demonstraram que, mesmo diante de perigo imediato, em situações de extrema violência, a maioria das pessoas é avessa a matar. Em outras palavras, como Marshall conclui: "A grande maioria dos combatentes, durante toda a história, no momento crucial em que poderiam e deveriam matar o inimigo, descobriu que era 'opositores conscienciosos'".[6]

Como mencionei no Capítulo 1, a principal defesa do sistema é a invisibilidade. Já discutimos como o carnismo é social e psicologicamente invisível. Mas as ideologias violentas também dependem da invisibilidade física; sua violência está bem escondida do escrutínio público. Você já reparou que, apesar de reproduzirmos, criarmos e matarmos 10 bilhões de animais por ano, a maioria de nós jamais vê sequer uma parte do processo de produção de carne?

Assim que refletimos honestamente sobre a carne que comemos, assim que percebemos que há muito mais em nossos gostos culinários do que preferências naturais e não adulteradas, vemos que dizer que "as coisas são assim mesmo" simplesmente não é uma explicação muito boa da razão por que comemos porcos, mas não cachorros. Vamos agora dar uma olhada no modo como as coisas realmente são.

Capítulo 3

Como as Coisas *Realmente* São

Torne a mentira grande, torne-a simples, continue a dizê-la e finalmente acreditarão nela.

– *Adolf Hitler*

Se você for como a maioria dos americanos, a carne é uma parte básica de sua dieta. Provavelmente você come carne pelo menos uma vez ao dia, se não com maior frequência. Pense no que você comeu na semana passada. Quantas refeições você fez consistindo de algum tipo de frango, carne de vaca, carne de porco ou peru? Comeu *bacon* ou salsicha no desjejum? Rosbife ou sanduíches de peru na hora do almoço? Carne grelhada ou filé de frango no jantar? Que quantidade de carne você acha que comeu esta semana? Este mês? Este ano?

O U.S. Department of Agriculture – USDA [Departamento de Agricultura dos Estados Unidos] estima que o americano médio consome 39 quilos de frango, 8 quilos de peru, 30 quilos de carne de vaca e 23 quilos de carne de porco por ano. Adicionando a isso 450 gramas de vitela e 450 gramas de cordeiro, cada americano consome um total de 101 quilos de carne anualmente.[7] Visto que a população atual dos Estados Unidos é de 300 milhões, é muita carne – e muitos animais.

Para ser exata, o agronegócio americano abate *10 bilhões* de animais por ano, neste número não estão incluídos os estimados 10 bilhões de peixes e outros animais marinhos que são mortos anualmente. São 19.011 animais por minuto ou 317 animais por segundo. No tempo que você levou para ler esses três parágrafos, aproximadamente 60 mil animais foram mortos.

Só para dar uma ideia de dimensão, os 10 bilhões de animais destinados ao abate nos Estados Unidos são quase duas vezes o tamanho da população humana mundial. É 33 vezes maior que a população dos Estados Unidos, 1.250 vezes maior que a população da cidade de Nova York e 2.500 vezes maior que a população de Los Angeles.

Outro modo de pensar nesse número é imaginar que, se tentássemos amontoar 10 bilhões de pessoas num campo de futebol, precisaríamos de 263 mil campos de futebol – uma área aproximadamente do tamanho de Houston – para abrigar todas elas. Ou se 10 bilhões de pessoas formassem uma fila, ela teria três milhões e duzentos mil quilômetros de comprimento. O suficiente para ir até a Lua e voltar... quatro vezes. Seria também suficientemente comprida para cobrir oitenta vezes toda a circunferência da Terra. E só estamos falando do número de animais mortos num único ano; imagine como esses números aumentam em cinco, dez, vinte anos.

Obviamente, são precisos muitos animais para produzir a quantidade de carne que nós, como nação, compramos, vendemos e consumimos. A carne é um negócio grande. Na realidade a carne é um negócio muito grande – a indústria agropecuária nos Estados Unidos tem rendas anuais conjuntas próximas dos 125 bilhões de dólares.[8] Pense nos incontáveis mercados, restaurantes, *self-services* e lares, de um lado a outro do país, que são abastecidos com carnes. A carne está literalmente em todo lugar a nossa volta.

Onde, então, estão todos os animais?

Onde Estão Eles?

Dos 10 bilhões de animais que foram criados, transportados e abatidos no decorrer do ano passado, quantos você viu? Se você mora na cidade, provavelmente quase nenhum. Mas vamos supor que more no campo. Quantas vacas você vê pastando nas encostas? Talvez, um dia, tenha visto cinquenta, se tanto. E quanto a galinhas, porcos ou perus? Vê algum deles? Quantas vezes viu esses animais na televisão, em revistas e jornais, nos filmes? Embora possamos comer carne diariamente, a maioria de nós não para para pensar como é estranho que possamos passar a vida inteira sem jamais encontrar os animais que se tornam nossa comida. *Onde Estão Eles?*

A grande maioria dos animais que comemos não são, como os que estão na indústria agropecuária gostariam que acreditássemos, "vacas satisfeitas" e "galinhas felizes" passeando em meio a campos cheios de relva e em terreiros abertos. Não estão dormindo em baias espaçosas com forragem fresca. Desde o momento em que nascem, esses animais são mantidos em confinamento estrito, onde podem ser vítimas de enfermidades, da exposição a temperaturas extremas, da severa superlotação, do manejo violento e até mesmo de psicose. A despeito do que sugere o imaginário predominante sobre os animais de criação, propriedades pequenas, dirigidas por famílias, são basicamente coisa do passado; hoje os animais estão em gigantescas "confined animal feeding operations" [centrais de alimentação de animais em confinamento] ou CAFOs (às vezes chamadas de "fazendas-fábricas"*), onde residem até serem despachados para o abatedouro.

Como qualquer instalação de produção importante, as CAFOs (e os abatedouros que elas abastecem) são projetadas com uma intenção determinada: manufaturar seu produto ao custo mais baixo e com o maior lucro possível. De maneira bem simples: quanto mais animais mortos por minuto, mais dinheiro a ser ganho. Para atingir esse objetivo, as CAFOs podem alojar literalmente centenas de milhares de animais simultaneamente, animais que são encarados e tratados como unidades de produção e cujo bem-estar é necessariamente secundário para o lucro que seus corpos trarão. De

---

* *Factory farms* no original. Esse termo, nos Estados Unidos, se refere muito especificamente às instalações onde é feita a engorda em confinamento (independentemente do tamanho da propriedade na qual se encontram as instalações). No Brasil, as *factory farms*, principalmente no caso do gado bovino, são em geral chamadas simplesmente de "confinamentos". (N. do T.)

um ponto de vista comercial, o bem-estar animal é uma *barreira* ao lucro, pois custa menos produzir animais em massa e descartar os que morrem prematuramente do que cuidar deles da maneira adequada. Na realidade, estima-se que mais de 500 milhões de animais destinados a se tornar comida morrem antes de chegar ao abatedouro, um fator que é embutido no custo de produção. São essas medidas redutoras de custos que tornam a moderna produção de carne uma das práticas mais cruéis da história humana.

Não Ver Nada de Mau, Não Ouvir Nada de Mau, Não Falar Nada de Mau

O modo mais eficiente de distorcer a realidade é negá-la; se dizemos a nós mesmos que um problema não existe, jamais teremos de nos preocupar com o que fazer acerca dele. E o modo mais eficiente de negar uma realidade é torná-la invisível. Como já comentamos, a invisibilidade é o bastião de defesa do sistema carnista.

No Capítulo 2, desconstruímos a invisibilidade *simbólica* do sistema. A invisibilidade simbólica é possibilitada pelo mecanismo de defesa do ato de *evitar*, que é uma forma de negação. Evitamos a verdade quando nos abstemos de dar nome ao sistema, o que, por sua vez, nos impede de perceber até mesmo que *há* um sistema. Neste capítulo, vamos desconstruir a invisibilidade *prática* do carnismo. Essa desconstrução é necessária para de fato apreciarmos os mecanismos e as dinâmicas do carnismo. Enquanto continuarmos desinformados ou mal informados, não poderemos compreender a realidade da produção de carne nem ultrapassarmos as defesas carnistas.

Os estabelecimentos que produzem o grosso da carne que chega à nossa mesa são, no essencial, invisíveis. Não os vemos. Não os vemos porque estão localizados em áreas remotas onde a maioria de nós não se aventura a ir. Não os vemos porque não nos é concedido acesso mesmo se tentarmos chegar lá.[9] Não os vemos porque seus caminhões são com frequência lacrados e sem identificação. Não os vemos porque, como diz Erik Schlosser, autor investigativo do *best-seller Fast Food Nation* [Nação *Fast-Food*], eles "não têm janelas na frente e a arquitetura dos prédios não deixa pistas do que está acontecendo lá dentro".[10] *Não os vemos porque não devemos vê-los.* Como acontece com qualquer ideologia violenta, o populacho não pode ficar exposto a um contato direto com as vítimas do sistema, para que não comece a questionar o sistema ou a participação que tem nele. Esta verdade fala por si mesma: por que mais a indústria da carne chegaria a tais extremos para manter suas práticas invisíveis?

Acesso Negado

Em 2007, o jornalista Daniel Zwerdling propôs-se a escrever um artigo sobre a indústria do frango para a revista *Gourmet*. Frente à resposta da indústria a seu pedido para dar um giro pelas instalações, se poderia pensar que Zwerdling estivesse escrevendo para o *Vegetarian Times*, não para uma renomada publicação da cozinha carnista. Segundo Zwerdling, cujo artigo "A View to a Kill" [Uma Visão de um Abate] foi publicado na edição de junho de 2007 da *Gourmet*, "porta-vozes das cinco maiores companhias se recusaram a me mostrar as granjas onde seus fornecedores criam os frangos que comemos, para que eu pudesse ver diretamente como eles os tratam. Recusaram-se a me mostrar os abatedouros, para que eu pudesse ver como as companhias os processam. Os executivos chegaram a se recusar a conversar comigo sobre como eles criam e matam os frangos". E a experiência de Zwerdling não é incomum.

Não é apenas difícil conseguir acesso às instalações de processamento da carne, mas em vários estados americanos é realmente contra a lei tirar fotos ou gravar vídeos dentro de "empresas com animais", como laboratórios, circos e abatedouros. Além disso, o Animal Enterprise Terrorism Act – AETA [Lei sobre o Terrorismo contra Produtores de Carne], de 2006 (um ato legislativo que tem sido severamente criticado como inconstitucional), torna *ilegal adotar atitudes que provoquem dano econômico a um "criadouro de animais"*.

Como é negado à mídia acesso a um "criadouro de animais", a maior parte das imagens das CAFOs e abatedouros que chegam ao público vem de investigações secretas. Foi o caso da investigação feita em 2008 pela Humane Society of the United States – HSUS [Sociedade Humanitária dos Estados Unidos], que documentou trabalhadores arrastando vacas leiteiras doentes com correntes e cutucando-as com as hastes de empilhadeiras (para serem convertidas em carne destinada a cantinas de escolas públicas), o que levou ao maior recolhimento de carne bovina na história da nação.

Este Leitãozinho Foi para o Mercado...

Como discutimos no Capítulo 2, porcos são animais inteligentes, sensíveis; porquinhos de apenas três semanas aprendem o próprio nome e respondem quando chamados. De fato uma pesquisa da Universidade do Estado da Pensilvânia revelou que os porcos podem ser treinados para jogar jogos de computador; usando os focinhos para controlar os *joysticks*, eram capazes de atingir os alvos com 80% de precisão.[11] Os porcos são também afetuosos e sociáveis e gostam da companhia de humanos, razão pela qual podem dar excelentes animais de estimação. Há alguns anos, visitei um abrigo para animais resgatados de granjas e os porcos não queriam que eu parasse de coçá-los na barriga e por trás das orelhas.

Em ambientes naturais, porcos caminham até 50 quilômetros por dia e podem formar laços de intimidade uns com os outros. Podem conseguir distinguir entre trinta diferentes indivíduos do grupo e vão procurar aqueles com quem têm intimidade e se comunicar. Mães grávidas são extremamente conscientes; podem percorrer 10 quilômetros procurando o local perfeito para construir um abrigo para os filhos e passar até dez horas a construí-lo antes de se acomodar para cuidar dos recém-nascidos. Assim que estão maduros o bastante para se reunir aos outros, os bebês brincam e exploram juntos, durante meses, o ambiente que os cerca.

A maioria dos porcos, no entanto (mais de 100 milhões), passa a vida inteira em confinamento intensivo e só vê o mundo exterior quando é amontoada em caminhões para ser enviada ao abate. Logo depois que nascem, os porquinhos são, como de praxe, castrados e têm as caudas cortadas, sem anestesia. Mandam os peões removerem ("talhar") as caudas com alicates rombudos, que só cortam de um lado, porque a ação de esmagamento ajuda a reduzir o sangramento. O corte da cauda é necessário porque, sob extrema tensão e quando todos os seus impulsos naturais foram frustrados, os porcos desenvolvem comportamentos neuróticos e podem realmente arrancar com mordidas as caudas uns dos outros. Essa reação psicológica é um dos sintomas do que é mencionado na indústria como Síndrome do Estresse Suíno (Porcine Stress Syndrome – PSS), uma condição notavelmente semelhante ao que, nos humanos, chamamos de Transtorno de Estresse Pós-Traumático (TEPT). Outros sintomas incluem rigidez, respiração ofegante, ansiedade, pele manchada e às vezes morte súbita.[12] Como humanos que passaram por confinamento solitário e outras torturas em cativeiro, os porcos têm se entregado à automutilação e têm sido vistos repetindo sem parar, às vezes milhares de vezes por dia, os mesmos comportamentos absurdos; os animais são literalmente levados à insanidade.*

De Porcos e Pessoas: a Genética do Trauma

O Transtorno de Estresse Pós-Traumático (TEPT) e a Síndrome do Estresse Suíno (PSS) parecem compartilhar uma base genética; ambas as condições são em parte hereditárias. Vários estudos revelaram que a predisposição genética do indivíduo, combinada com uma experiência traumática, aumenta a probabilidade de surgimento de TEPT; um grande estudo com gêmeos veteranos do Vietnã, por exemplo, levou os pesquisadores a afirmar que há "uma significativa contribuição genética ao TEPT". Da mesma maneira a Secretaria de Agricultura, Alimentação e Assuntos Rurais de Ontário declara que é a combinação de genética e estresse que leva ao desenvolvimento da PSS em porcos.[13]

Leitões nascidos em confinamento têm permissão de mamar por apenas duas ou três semanas e fazem isso através das barras de um engradado que está separado dos engradados de suas mães. Muitos leitões morrem antes de serem desmamados devido a problemas como inanição ou diarreia. Se um leitão ou uma leitoa conseguir se espremer e passar para o engradado da mãe para satisfazer uma necessidade instintiva de calor e intimidade, a mãe pode acidentalmente esmagá-lo. Independentemente da causa, as mortes de porquinhos são inevitáveis. Há simplesmente animais em excesso para serem cuidados adequadamente pelos trabalhadores; um complexo típico para criação de porcos emprega quinze pessoas para tratar de 3.600 porcas.

* O termo técnico para comportamentos repetitivos é *estereotipias*. Estereotipias são um sintoma de estresse encontrado numa série de espécies animais (por exemplo, grandes felinos andando de um lado para o outro numa jaula do zoológico), mas não são classificadas como sintoma de PSS.

Após o desmame, durante os seis meses seguintes, os porcos jovens são apinhados nas pocilgas ou galpões frequentemente sujos das fábricas de porcos. Essas construções ficam cheias de gases nocivos originados do excremento dos porcos e o ar fica espesso, cheio de poeira e agentes alérgicos. Tanto os porcos quanto os humanos que trabalham em instalações de confinamento suíno sofrem de doenças respiratórias crônicas e muitos porcos morrem prematuramente de enfermidades do pulmão.

Quando estão prontos para serem abatidos, os porcos são aglomerados sobre carretas que seguem para os abatedouros. Para poupar dinheiro, o maior número possível de porcos é comprimido no caminhão e essa superlotação – unida ao fato de que os animais não recebem alimento, água ou proteção de temperaturas extremas durante o transporte, que pode se estender por 28 horas – resulta em elevadas taxas de mortalidade; segundo *The National Hog Farmer*, uma publicação da indústria, "a incidência nacional registrada de mortes na chegada (Dead on Arrival – DOA) de porcos [em 2007] foi de 0,21%... Com base em 22 amostras comerciais de campo, a taxa de porcos incapazes de se locomover (classificados como fatigados ou feridos) antes da obtenção do padrão de peso nas instalações de engorda era de cerca de 0,37%. Não existe nenhuma cifra nacional para porcos incapazes de se locomover".[14] A pesquisadora agrícola Gail Eisnitz, que entrevistou vários trabalhadores de abatedouro, foi informada do processo de transporte:

> De qualquer maneira você vai perder alguns porcos num reboque... Durante o tempo em que trabalhei na entrega, todo dia havia grandes pilhas de porcos mortos... Quando são tirados do caminhão, estão duros como um bloco de gelo... Um dia, com a motosserra, fui soltar uns porcos de uma pilha de aproximadamente trinta porcos congelados e encontrei dois [que ainda estavam] vivos... Soube que estavam vivos porque levantaram a cabeça como se dissessem: "Me ajude"... Peguei minha machadinha e dei golpes até eles morrerem.[15]

Os porcos que sobrevivem à jornada são depositados em baias para esperar o abate. Quando chega a hora, são espicaçados para entrar num corredor estreito ou rampa, por onde avançam em fila indiana até a área de abate. Os animais na retaguarda da rampa ouvem os gritos dos porcos à frente, que chegaram à linha de abate, assim como os gritos dos homens que trabalham na barulhenta linha de produção. Schlosser explica o que viu ao atingir esse ponto em sua visita: "Os sons ficam mais altos – sons de fábrica, o barulho de ferramentas elétricas e maquinaria, explosões de ar comprimido... Subimos uma escorregadia escada de metal e chegamos a uma pequena plataforma, onde começa a linha de produção. Um homem se vira e sorri para mim. Usa óculos de proteção e um capacete. Seu rosto está salpicado de material cinzento e sangue".[16] Não causa surpresa que muitos porcos fiquem relutantes em avançar. Como explica o trabalhador de um abatedouro:

> Quando sentem cheiro de sangue, os porcos não querem avançar. Tenho visto porcos sendo espancados, chicoteados, chutados na cabeça para que se levantem no brete. Certa noite vi um condutor ficar tão irritado com um porco que quebrou suas costas com um pedaço de madeira. Tenho visto condutores de porcos pegar o aguilhão e enterrá-lo no ânus do porco para fazê-lo se mexer. Eu não gostava disso porque deixava os porcos duas vezes mais selvagens quando chegavam a mim.[17]

Presume-se que façam os animais de criação ficarem atordoados e inconscientes antes de serem realmente mortos. Contudo, alguns porcos permanecem conscientes quando são presos pelas pernas em algemas de metal, ficando de cabeça para baixo. Eles dão coices e se debatem enquanto são transportados pela esteira rolante para ter a garganta cortada. Por causa da velocidade na qual os animais devem ser atordoados e mortos, e devido aos trabalhadores dos abatedouros serem com frequência ineficientemente treinados, vários porcos podem também sobreviver ao corte da garganta, continuando conscientes ao chegar à próxima parada, onde são atirados em água escaldante – um procedimento feito para remover o pelo. Eisnitz descreve como porcos gritando eram deixados pendurados por uma perna quando os trabalhadores saíam nos intervalos de almoço e como milhares de porcos eram imersos vivos no tanque escaldante. E um trabalhador entrevistado por ela comentou: "Esses porcos... mergulham na água e começam a gritar e a chutar. Às vezes se debatem com tanta força que jogam água para fora do tanque... Há um braço rotativo que os empurra para baixo, eles não têm a mínima chance de sair. Não tenho certeza se morrem queimados antes de se afogar, mas levam um ou dois minutos para parar de se debater".[18]

Eisnitz também descobriu que o estresse que os trabalhadores enfrentam por passar horas num mesmo posto, onde têm de matar (ou atordoar) um porco a cada quatro segundos, leva a violentos acessos de raiva contra os animais. Um trabalhador descreveu um desses incidentes:

> Um dia os porcos vivos estavam me deixando maluco... como [quando] um animal o irrita [embora você] vá matá-lo... Só que você não apenas mata, você vai com tudo, ataca mesmo, bate na traqueia, faz com que ele se afogue no próprio sangue. Parte o nariz. Imagine um porco vivo correndo em volta da baia. Ele só estava me olhando e fui chegando perto e de repente puxei minha faca e... arranquei os olhos dele quando ele foi sentando. E o porco ficou lá gritando. Uma vez puxei minha faca... que é bem afiada... e cortei a ponta do nariz de um porco, como quem corta um pedaço de salsichão. Durante alguns segundos o porco ficou maluco. Depois só se sentou olhando, com uma cara de estúpido. Então peguei um punhado de sal grosso e chapei no nariz dele. Aí aquele porco ficou realmente doido, esfregando o nariz por todo lado. Eu ainda tinha um punhado de sal sobrando na mão... estava usando uma luva de borracha... e enfiei o sal bem no rabo do porco. O coitado do porco não sabia se cagava ou batia com a cabeça na parede.[19]

As fêmeas que são usadas como procriadoras também acabam no abatedouro, mas antes disso passam grande parte da vida em pequenas jaulas e baias de metal conhecidas como baias de gestação.* Essas baias têm 60 centímetros de largura, sendo pequenas demais até mesmo para as porcas se virarem, e os pisos ficam cobertos de fezes e urina. Os animais sofrem de uma série de problemas devido a esse confinamento, mas uma das situações mais dolorosas suportadas por eles são as infecções do trato urinário, que podem se tornar tão severas a ponto de levar à morte. As infecções do trato urinário ocorrem porque, ao se deitar, as porcas afundam em dejetos cheios de bactérias, que se introduzem no trato urinário. Uma porca será engravidada à força em rápidos ciclos de cinco ou seis meses, até não ser mais capaz de reproduzir, momento em que é espremida num caminhão destinado ao matadouro.

"Quem Define a Questão Controla o Debate"

Timothy Cummings, um veterinário de aves domésticas e professor de clínica geral na Universidade do Estado do Mississippi, explicou a um público de avicultores que está na hora de empregar ativistas de direito animal bem relacionados com a mídia e que compreendam o poder da linguagem. "Quem define a questão controla o debate", diz ele.[20] Cummings sugeriu que "desbicar" uma galinha deveria ser chamado "condicionamento de bico", fazendo o processo se parecer mais com um tratamento de *spa* que com uma desfiguração. O "backup killer" [matador de apoio] – trabalhador responsável pelo abate de aves que continuem vivas após passar pelo abatedor automático – deveria ser um "operador de faca" e o termo "drenado" deveria substituir "sangrado" até morrer. Quem tem intimidade com a indústria está há muito tempo consciente do desconforto que os consumidores sentem quando as palavras pintam um retrato demasiado fiel de como os

---

*As baias de gestação têm sido consideradas tão desumanas que foram banidas numa série de estados e nações. A União Europeia concordou em eliminá-las em 2013 e tanto a Smithfield Foods quanto a Maple Leaf Foods, os maiores produtores de carne de porco respectivamente nos Estados Unidos e no Canadá, disseram em 2007 que as companhias também começarão a eliminá-las. Pressão de compradores como o McDonald's e o Burger King levaram a essa decisão das companhias.

animais são convertidos em carne. Já em 1922, a Texas Sheep and Goat Raisers' Association [Associação dos Criadores de Carneiros e Cabras do Texas] propunha substituir "carne de cabra" por "cabrito", argumentando que: "As pessoas não comem vaca moída, costelas de porco ou perna de ovelha... Hambúrguer, costeletas e carneiro parecem muito mais apetitosos".[21] E a antiga National Cattlemen's Beef Association [Associação Nacional dos Pecuaristas] aconselhava seus membros a substituir a palavra *slaughter* [abate] por "processamento" ou "ceifa", já que "as pessoas reagem negativamente à palavra *slaughtering* [matança, carnificina]".[22]

Também no Reino Unido podemos encontrar exemplos interessantes de como a indústria agropecuária usa a linguagem para camuflar a realidade da carne. O *Meat Trades Journal* aconselha os leitores a usar "instalação de carne" ou "fábrica de carne" em vez de "matadouro"*.[23] E o *British Meat* publica a seguinte declaração: "Por todo lado tradicionais centros varejistas oferecem ao público partes de animais e frequentemente identificam carne com gado. Mas as atitudes do consumidor moderno repudiam esse elo... Há necessidade urgente de uma nova filosofia varejista. Nosso negócio não é mais vender pedaços de carne de uma carcaça. Temos de fazer nossos fregueses pensarem no que vão comer, em vez de pensarem no animal no pasto".[24]

Onde Está a Carne?

Michael Pollan acompanhou a vida de um determinado novilho, o novilho número 534, para escrever *The Omnivore's Dilemma* [O Dilema do Onívoro], o *best-seller* no qual revela as práticas da produção contemporânea de alimentos. O que Pollan encontrou quando seguiu, do nascimento à morte, o novilho número 534 representa o destino dos 35 milhões de cabeças de gado de corte que são mortos a cada ano nos Estados Unidos. Pollan descreve como estava observando um rebanho de bezerros num curral quando o "534 aproximou-se devagar da cerca e fez contato visual. Tinha uma constituição grande e sólida e uma expressão aborrecida... Lá estava o meu garoto".[25]

* No Brasil, costuma-se usar "frigorífico" para indicar diferentes unidades da indústria e fala-se de preferência em "abatedouros", não de matadouros, em que as evocações são mais diretas. (N. do T.)

Não é de admirar que o 534 tenha se aproximado tão rapidamente de Pollan. Os bovinos são criaturas comunicativas, sentimentais e sociáveis. Têm inúmeras formas de vocalização e de gestos para comunicar seus sentimentos e, num ambiente natural, criarão crescentes laços de amizade uns com os outros. Os bovinos são naturalmente amáveis e dóceis, passando a maior parte de seu tempo de vigília comendo capim e ruminando. E os filhotes se entregam com frequência a uma variedade de brincadeiras quando não estão sendo alimentados pelas mães.

Bovinos nascidos em cativeiro são incapazes de satisfazer muitos desses instintos naturais. Contudo, durante um curto período, pelo menos algumas de suas necessidades básicas são satisfeitas. Ao contrário das indústrias suína e de aves domésticas, a indústria de carne bovina mantém os animais ao ar livre durante os primeiros seis meses de vida, pois é mais barato contratar fazendeiros independentes, que possuem pastagens, para administrar essa parte do processo. Pollan relata: "O novilho número 534 passou seus primeiros seis meses nesses pastos exuberantes ao lado da mãe, 9534... Fora o trauma num sábado do mês de abril em que foi marcado com ferro em brasa e castrado, pode-se imaginar o 534 relembrando esses seis meses como os bons tempos de outrora".[26]

O novilho 534 nascera no galpão maternidade defronte ao pasto e, como todos os bezerros, sua castração, marcação e "descornamento" (para impedir que os chifres ficassem cravados em cercas ou causassem dano a outros animais ou a pessoas) ocorreram sem anestesia. Especialistas em agricultura e pecuária da Universidade do Tennessee expõem os meios mais eficientes de executar alguns dos diferentes métodos de castrar bezerros.[27] O estresse que resulta dos procedimentos, dizem eles, "pode ser minimizado se os realizarmos quando o bezerro é pequeno e sexualmente imaturo". Um dos métodos inclui usar uma faca para cortar a parte inferior da bolsa escrotal: "Depois de expostos, os testículos devem ser agarrados e estendidos um de cada vez enquanto se empurra para trás o tecido conjuntivo que cerca o cordão... Em bezerros novos, o testículo pode ser agarrado e puxado até que o cordão arrebente".

Ou os que executam a tarefa podem colocar uma tira de borracha na bolsa escrotal, acima dos testículos: "Como isso corta o suprimento de sangue, a bolsa escrotal e os testículos se desprendem do tecido são em cerca de três semanas". Contudo, eles advertem: "Esse é o menos desejável de todos os métodos incruentos de castração, devido ao risco de tétano. Se for esse o método escolhido, deve ser usado em bezerros com menos de um mês de idade". Outro método de castração sem derramamento de sangue envolve o uso de um *emasculador*, um instrumento com lâminas rombudas que esmagam o cordão espermático e cortam o suprimento de sangue: "O emasculador é deixado no lugar por aproximadamente um minuto. Sugere-se com muita ênfase que o emasculador seja aplicado duas vezes em cada cordão. Repita o procedimento do outro lado da bolsa escrotal... Se o cordão não foi atingido, repita o procedimento". E finalmente, os especialistas advertem que "a melhor época para castrar é na primavera e no outono, quando é menos provável que moscas e larvas de inseto aumentem a irritação e a infecção do ferimento".

Em vista dessas práticas de castração, não é de admirar que Pollan acredite que o 534 estava traumatizado. Pollan afirma que o 534 ficou traumatizado ainda uma segunda vez, quando foi afastado da mãe aos seis meses de idade: "O desmame é talvez o momento mais traumático numa fazenda, tanto para os animais quanto para os homens; separadas de seus bezerros, as vacas berrarão durante dias e os bezerros, estressados... ficam propensos a adoecer".[28] O desmame é reconhecido como um dos principais elementos psicológico de estresse pelos veterinários, que recomendam que tanto as instalações que abrigam a mãe quanto as que abrigam o bezerro após eles terem sido separados devem ser fortes o bastante para impedir que os dois se reúnam. O período natural de amamentação dos bezerros é entre seis e doze meses.

Após o desmame, o 534 foi enviado para passar os próximos meses num curral "de apoio", no qual devia se habituar ao confinamento, comendo numa gamela e consumindo alimentos não naturais, compostos de enormes quantidades de cereal saturado de drogas e de proteínas e suplementos de gordura para fazê-lo passar de 36 a 450 quilos em quatorze meses. O que lhe restasse de vida seria passado em outra área de engorda, um confinamento superlotado, sujo, com os pisos consistindo em grande parte de esterco, onde ficaria com milhares de outros garrotes à espera do abate.

Quando chega a hora do abate, o gado não se mostra mais ansioso que os porcos para caminhar pela rampa até a área de abate. Tem de ser aguilhoado para avançar, um processo que estressa ainda mais os já frustrados animais e trabalhadores. Embora, graças a uma lei federal, seja ilegal usar aguilhões com mais de 50 volts, um empregado que Eisnitz entrevistou comentou:

> Você pode se sentir um incapaz quando está tentando tocar o gado... Às vezes é preciso aplicar muito ferrão. Mas alguns condutores [pessoas que aguilhoam o gado ao longo da rampa] fazem o diabo com eles. As cinco ou seis picanas (ferrões elétricos) ao lado das rampas de condução estão ligadas diretamente a tomadas de 110 volts. Toque os bois pelas estrias de metal do piso e eles atiram centelhas como uma máquina de solda. Alguns condutores acertam o gado com picanas até deixar os bois tão malucos e apavorados que a gente não consegue mais nada deles, a não ser no boxe de atordoamento...[29]

Uma vez na linha de montagem, o gado é atordoado, preso a correntes, sangrado, estripado e esfolado. Como acontece com os porcos, a falta de trabalhadores experientes e a velocidade vertiginosa da esteira transportadora impedem a precisão no atordoamento e muitos bois acabam seguindo enquanto ainda estão conscientes. Bois conscientes na fileira são particularmente perigosos para os trabalhadores, pois, com meia tonelada, ao se debaterem e escoicearem, podem se soltar das correntes e cair de cabeça sobre os empregados de uma altura de quase cinco metros. Mesmo quando o animal é corretamente atordoado, são às vezes necessários muitos golpes para deixá-lo inconsciente. Outro empregado comenta:

> Lembro de um touro que tinha os chifres realmente compridos. Bati duas vezes nele... Saiu uma coisa branca e sólida – miolos, eu acho – e ele caiu, a cara toda cheia de sangue. Fiz com que rolasse para a área de acorrentamento. Esse touro deve ter sentido a corrente avançando na perna. Ele se levantou como se nada tivesse acontecido, nem cambaleou, e saiu pela porta dos fundos. Começou a correr pela Via 17 e claro que não ia parar. Eles saíram, lhe deram um tiro de rifle e o arrastaram de volta com o trator.[30]

Também Schlosser testemunhou os efeitos do atordoamento malfeito: "Um bezerro escorrega da corrente, cai no chão e tem a cabeça presa numa esteira transportadora. A linha para enquanto os trabalhadores lutam para libertar o bezerro, atordoado mas vivo, do mecanismo. O que vi já bastou".[31]

Como não foi autorizado a entrar na sala de abate, Pollan esperou a chegada de seu garrote no destino final da jornada. O 534 chegou como uma caixa de bifes. Não sendo mais sequer um número, o 534 fora reduzido a uma embalagem de produtos cuidadosamente acondicionados destinados às prateleiras do supermercado.

Eles Morrem Pedaço a Pedaço

Em 2001, o *Washington Post* publicou um artigo de Joby Warrick intitulado "Eles Morrem Pedaço a Pedaço". Warrick explicava como, embora o gado devesse estar morto antes de chegar à sala de corte, com frequência não era esta a realidade. Ramon Moreno, funcionário de um matadouro que passou vinte anos como "segundo perneiro" – cortando jarretes de carcaças que passavam à taxa de 309 por hora – descreveu o processo a Warrick: "'Eles piscam. Fazem ruídos', disse Moreno em voz baixa. 'A cabeça se mexe, os olhos estão arregalados e olham em volta.' Moreno, no entanto, continuava a cortar. Em maus dias, diz ele, dúzias de animais chegavam a seu posto nitidamente vivos e conscientes. Alguns sobreviveriam até o cortador da cauda, o abridor da barriga, o esfolador. 'Eles morrem', disse Moreno, 'pedaço a pedaço'."[32]

Inteligência em Aves? Galinhas e Perus

No Capítulo 2, discuti algumas das suposições comuns que fazemos acerca de porcos e de como essas crenças tornam mais fácil comê-los. Muitos se sentem ainda mais distantes de galinhas e perus, em parte, ao menos, devido à crença arraigada de que eles são estúpidos – talvez estúpidos demais até para saber se estão sofrendo. As aves, no entanto, são na realidade bastante espertas; os cientistas agora admitem que esses animais são incrivelmente mais inteligentes do que se imaginava.[33] Galinhas e perus são também bastante sociáveis, o que pode explicar a tendência crescente de tê-los como animais de estimação. Seus donos falam de aves que brincam com eles, procuram-nos em busca de afeto e inclusive se divertem com o cachorro da família. Existem também sites dedicados exclusivamente à posse de aves. Por exemplo, em *mypetchicken.com*, entusiastas podem comprar parafernálias como a Eglu, de 495 dólares, um "galinheiro urbano-chique", que vem em cinco cores diferentes, e donos orgulhosos podem postar fotos de suas galinhas favoritas para todos admirarem.

Não obstante, nos Estados Unidos são mortos e consumidos aproximadamente 9 bilhões de aves por ano, por causa da carne ou dos ovos. Galinhas ou perus "de grelha" são criados pela carne e, embora em condições naturais, vivam até dez anos, têm nas CAFOs um período de vida de sete ou dezesseis semanas, respectivamente – o que significa que, sempre que consumimos aves domésticas estamos, de fato, comendo filhotes. O período de vida severamente abreviado das aves se deve ao fato de elas serem alimentadas com uma dieta tão cheia de drogas indutoras do crescimento que acabam crescendo a uma taxa que equivale à possibilidade de um ser humano atingir 158 quilos aos 2 anos de idade. Por esse motivo, as aves de corte sofrem de numerosas deformidades de constituição. As patas são incapazes de suportar seu peso e frequentemente são torcidas e quebradas; as aves não podem se mexer muito devido a uma dor crônica nas articulações. E quando chega a hora do envio para o abate, ao serem agarradas e amontoadas em engradados que são empilhados uns sobre os outros, podem sofrer quebra ou deslocamento de asas, quadris e patas, assim como hemorragias internas.

Aves de corte passam a vida em galpões estéreis – ou "galpões de frangos de corte" – que podem alojar 50 mil aves e ficar tão apinhados que se torna difícil ver o chão. Nessas condições, as aves são incapazes de exibir qualquer um de seus comportamentos naturais, como ciscar ou ficar no poleiro, e desenvolvem comportamentos psicóticos, induzidos pelo estresse, como a bicada nas penas e o canibalismo. Frequentemente, para impedir que as aves matem de bicadas umas às outras, é usada, assim que elas nascem, uma lâmina quente para amputar a parte da frente dos bicos, sem anestesia. Esse procedimento, conhecido como desbicagem, pode levar à infecção, ao desenvolvimento de tumores neurológicos ou à morte, se a ave fica sem sobra de bico suficiente para beber ou comer.

As aves que sobrevivem ao galpão de frangos de corte são então enviadas para o abate. Em abatedouros de aves domésticas, onde a produção é ainda mais rápida que no caso de outros animais (a média é de 8.400 animais por hora), as aves são atiradas em esteiras transportadoras onde são agarradas, às vezes punhados delas de uma só vez, e penduradas de cabeça para baixo em argolas. Embora o Humane Methods of Slaughter Act [Lei sobre Métodos Humanitários de Abate] exija que outros animais sejam tornados inconscientes antes de serem mortos, as aves constituem exceção e são abatidas com plena consciência. A garganta é cortada por mão humana ou máquina e aves são despejadas em água fervente para soltar as penas. Uma série de aves acaba sendo fervida viva.

Josh Balk, um ativista que trabalhou secretamente numa instalação de abate de galinhas da Perdue, em 2004, antes de se tornar diretor da Humane Society of the United States, conversou comigo sobre sua experiência no frigorífico. Também gravou um vídeo e publicou relatos da experiência, em particular da contínua agressão perpetrada pelos trabalhadores às aves. Balk manteve um diário[34] e o que vem a seguir são trechos dele:

> Quase toda galinha respondia com gritos e violentas reações físicas desde o momento em que era agarrada pelos trabalhadores e enquanto seguia pela correia transportadora. O grito das aves e o frenético bater das asas eram tão altos que você tinha de berrar para o trabalhador a seu lado, parado a meio metro de você, para que ele pudesse ouvir.
>
> Vi um empregado chutar uma galinha do ventilador do piso e vi rotineiramente galinhas sendo atiradas pela sala... Enquanto conversava sobre futebol, um dos trabalhadores "acertou" uma galinha na esteira transportadora, como se tivesse marcado um *touchdown*.
>
> Vi cerca de cinquenta aves serem jogadas dos engradados de transporte na esteira transportadora, a uma altura de aproximadamente 2,5 metros. Como o engradado despejou todas ao mesmo tempo, elas caíram umas em cima das outras. Os gritos foram intensos durante todo o processo. Olhei para a esteira e pude ver claramente galinhas com patas e asas quebradas, membros se projetando em ângulos não naturais.
>
> Reparei... que hoje nosso líder de linha parecia em geral mais hostil com relação às aves, sempre lhes gritando obscenidades quando as atirava para o lado... Durante um intervalo, um trabalhador ficou esbofeteando uma galinha até a esteira voltar a andar.
>
> Havia tantas aves mortas no piso da sala de abate que era difícil dar um passo sem pisar numa delas.

Como acontece com outras espécies destinadas ao consumo humano, o público americano é poupado da visão da vida e morte de aproximadamente 9 bilhões de galinhas por ano. Como Balk explicou: "Estar realmente lá para ouvir os gritos e sentir o fedor da morte no ar é algo que a maioria das pessoas jamais... suportaria".

Eles Podem Sofrer?

Exigindo o tratamento humano dos animais, o filósofo do século XVII Jeremy Bentham argumentava: "A questão não é 'eles podem raciocinar?', nem 'eles podem falar?', mas sim 'eles podem sofrer?'". A questão da senciência – a capacidade de sentir prazer ou dor – tem estado no centro dos argumentos que giram em torno tanto do bem-estar humano quanto do bem-estar animal.

Historicamente, tem se acreditado que membros de grupos vulneráveis tenham maior tolerância à dor, uma suposição frequentemente invocada para justificar o sofrimento. Por exemplo, cientistas do século XV pregavam cachorros em tábuas pelas patas para abrir seu corpo e fazer experiências com eles plenamente conscientes, ignorando o uivar dos cães como simples reação mecânica – pouco diferente do ruído de um relógio cujas molas tivessem sido atingidas. De modo semelhante, até o início da década de 1980, médicos americanos executavam importantes cirurgias em crianças novas sem usar analgésicos ou qualquer anestésico; os gritos dos bebês eram explicados como meras reações instintivas. E como se considerava que os escravos africanos sentiam menos dor que os brancos, era mais fácil justificar a brutal experiência da escravidão.

Como a experiência da dor é subjetiva, é fácil argumentar contra o sofrimento do outro. Em outras palavras, como não estamos dentro do corpo do outro, podemos apenas presumir o que ele ou ela estão sentindo – e se já temos um interesse velado em presumir que ele ou ela não estão sentindo dor, é muito fácil acreditar que isso seja verdade. Nossas suposições provêm de nossas crenças e o próprio sistema de crenças que nos torna capazes de infligir sofrimento a outros trabalha ativamente para mantê-las vivas. Por isso não é de admirar que não nos desviemos para o lado da prudência – ou da razão –, quando se trata de práticas carnistas que provocam o sofrimento de animais. Consideremos, por exemplo, a suposição comum de que apenas o instinto leva as lagostas a lutar para escapar da panela onde estão sendo cozidas vivas. Embora não tenhamos motivo para acreditar que elas *não* estejam sentindo dor, embora seja apenas lógico presumir que estão fugindo da água fervente porque ela causa dor, e embora o instinto e a senciência possam coexistir e de fato coexistam (um não exclui o outro), a maioria das pessoas prefere pensar de modo diferente.

A pesquisa objetiva é um meio de contrariar nossa percepção subjetiva da experiência dos outros. Pesquisadores demonstraram, por exemplo, que as trajetórias neurais dos recém-nascidos estão suficientemente desenvolvidas para eles sentirem dor e os anestésicos não lhes são mais negados. Os cientistas também apresentaram provas suficientes de que os crustáceos são de fato sencientes; por isso alguns municípios tornaram ilegal cozinhar as lagostas vivas e o Whole Foods Market, o mercado que é líder mundial na venda de comida orgânica e natural, não oferece mais lagostas vivas ou siris moles, com a justificativa de que seu manejo e sua venda são desumanos.

E a despeito das alegações dos avicultores de que as pessoas não podem realmente saber como as galinhas se sentem, existem agora dados sugerindo enfaticamente que as aves não apenas sofrem, mas procuram ativamente anestesiar sua dor. Os pesquisadores pegaram um grupo de 120 galinhas de corte, metade das quais estropiadas, e ofereceram-lhes dois tipos de alimento: alimento normal e alimento que continha um analgésico anti-inflamatório. As galinhas estropiadas consumiram até 50% mais alimento com a droga que as aves não estropiadas e, como resultado disso, caminharam melhor. Um segundo estudo semelhante descobriu que, quanto mais severa a deficiência física de uma galinha, maior a quantidade de alimento com a droga consumido por ela. Os pesquisadores concluíram que as aves estavam provavelmente se automedicando e que podem sofrer e de fato sofrem.[35]

Instigadas sem Parar: Galinhas Poedeiras

É irônico que tantas de nossas imagens com animais "engraçadinhos" – em cartões, em calendários, em cartazes – contenham fotos de galinhas recém-nascidas, quando a cada ano milhões dessas aves-bebês são tratados de um modo que a maioria das pessoas não imaginaria. Galinhas poedeiras são aves usadas para a produção de ovos. Nascem em chocadeiras comerciais, em incubadoras industriais. Os galos não têm valor econômico e são, portanto, descartados logo após o nascimento. Podem ser despejados num gigantesco moedor e triturados vivos, envenenados com gases ou jogados em recipientes de lixo, onde morrem de sufocamento ou desidratação. As galinhas são espremidas em gaiolas de bateria, que têm aproximadamente o tamanho de uma gaveta de arquivo, são feitas de arame e alojam uma média de seis aves.

As galinhas passam a vida inteira em gaiolas de bateria, onde têm de comer, dormir, defecar e onde não podem sequer abrir as asas. A base da gaiola é feita de arame para que os dejetos das aves possam cair pelas aberturas e seus membros podem facilmente ficar presos na tela. Os arames dos lados e no alto da gaiola arranham as penas das aves e provocam contusões. Algumas galinhas esfregam neuroticamente o peito contra a gaiola até eles ficarem carecas e sangrarem. As gaiolas em bateria são consideradas tão cruéis que já foram banidas numa série de países e estão sendo gradualmente abolidas em todas as 27 nações da União Europeia, embora continuem sendo amplamente usadas de um extremo a outro dos Estados Unidos.

Como as galinhas têm sido geneticamente manipuladas para pôr dez vezes mais ovos que suas antepassadas, os ossos frágeis frequentemente se quebram, visto que o cálcio dos esqueletos é desviado de maneira desproporcional para a formação da casca dos ovos. Outra consequência dessa seleção artificial para a postura de quantidades antinaturalmente grandes de ovos é o prolapso uterino. Quando um ovo fica grudado na parede uterina, o útero pode sair com ele. A não ser que o façam recuar para o corpo da galinha, o útero sofrerá bicadas de outras galinhas até que o sangramento mate a galinha ou até que ela morra de infecção; num caso ou no outro, a galinha geralmente leva dois dias para morrer.

Quando não conseguem mais produzir ovos de forma lucrativa, as galinhas são arrancadas das gaiolas, às vezes em punhados, e seus membros, que estão enfraquecidos e presos nos arames, frequentemente se dilaceram. Após completar um ano de idade, a galinha poedeira é enviada ao abate.

Morte por Picador de Madeira: Humano ou Insano?

Em 2003, o *LA Times* noticiou que trabalhadores de uma fazenda de San Diego, produtora de ovos, jogam "aves se debatendo pela caçamba [de um picador de madeira], depois misturam os restos moídos com terra e colocam a mistura em pilhas". Segundo o *Times*, o veterinário Gregg Cutler, membro do comitê para o bem-estar animal da American Veterinary Medical Association [Associação Médico-Veterinária Americana], autorizou o procedimento.[36] Antes do incidente, Cutler acompanhara um encontro de avicultores no qual se discutira como tratar as galinhas durante um surto da doença de Newcastle, uma infecção viral das aves. Cutler disse ao *Times* que "tínhamos as ideias mais loucas. Estávamos desesperados, tentando lidar com essa doença". Mas as 30 mil galinhas que estavam sendo atiradas no picador de madeira em San Diego não estavam infectadas com a doença de Newcastle; tinham simplesmente parado de produzir ovos. Contudo, segundo um dos proprietários da fazenda, Cutler e outros veterinários aprovaram o procedimento e o chamaram de humano. Não foram feitas acusações contra Cutler e, embora tenha investigado a fazenda em busca de evidências de crueldade para com os animais, o ministério público do distrito de San Diego concluiu que não havia indícios de intenção criminosa por parte dos proprietários, que estavam "apenas seguindo uma orientação profissional".

Pegou o Leite? Vacas Leiteiras

Como é possível conseguir leite sem prejudicar a vaca, a maioria das pessoas presume que os laticínios estão naturalmente livres de crueldade. "Naturalmente" é a palavra que chama atenção aqui, pois como todos os alimentos de origem animal fabricados em massa, a produção contemporânea do leite é tudo menos natural.

Muitas vacas nos Estados Unidos passam a vida em fábricas de laticínios, onde são acorrentadas pelo pescoço e confinadas em galpões, dentro de baias minúsculas, ou vivem ao ar livre em áreas de alimentação cercadas, superlotadas. Nessas áreas de alimentação, as vacas comem de uma esteira transportadora que passa ao longo de uma cerca e o piso onde ficam paradas ou deitadas é de concreto, saturado de urina e fezes.

Vacas leiteiras recebem injeções de hormônios de crescimento produzidos por engenharia genética e são todo ano artificialmente inseminadas, de modo a maximizar a produção de leite. Na maior parte dos laticínios nos Estados Unidos, as vacas são ordenhadas por máquinas durante dez meses por ano, o que inclui o período de sete meses durante o qual estão prenhes. Esse processo de inseminação e lactação contínuas estressa de tal maneira seus corpos que, em muitas vacas, surgem defeitos físicos e mastite, uma infecção e às vezes gravíssima inflamação do úbere. O sistema da vaca é tão sobrecarregado que o processo metabólico normal pode ser insuficiente para acompanhar o desgaste físico e, por isso, sua dieta natural, herbívora, de capim dos pastos é suplementada com grãos e ração carnívora, com alto teor de proteína, feita de carne e farinha de ossos.

Embora o desgaste físico que as vacas leiteiras suportam seja significativo, é bem possível que seu maior sofrimento venha do trauma emocional por que passam todo ano depois do parto. Os filhotes machos são usados na produção de carne de vitela e as fêmeas na produção leiteira. Como mencionei anteriormente, as vacas ficam intimamente ligadas aos bezerros, que podem passar até um ano amamentando. Nos laticínios, porém, o bezerro é geralmente removido horas depois do nascimento, para que o leite da vaca possa ser desviado para consumo humano. Frequentemente o novilho ou novilha é arrastado para longe da mãe, que urra histericamente. Outras vezes, para impedir que a vaca seja irritada, levam-na para ser ordenhada em outra parte da instalação e o novilho é removido em sua ausência. Como as mães humanas, as vacas podem ficar alucinadas e desesperadas quando não encontram os filhos. Vão urrar durante dias, procurando freneticamente os bezerros, tornando-se às vezes até violentas, dando guinadas e coices na direção dos trabalhadores. Há inclusive casos de vacas que fugiram e viajaram quilômetros para encontrar seus bezerros em outras fazendas.

Embora tenham um período natural de vida de aproximadamente vinte anos, depois de apenas quatro anos num laticínio as vacas são consideradas esgotadas e são enviadas para o abate. Uma significativa proporção do hambúrguer americano é feita de vacas leiteiras.

Os Filhotes São Incríveis: Vitela

Muita gente tem uma certa queda por filhotes, mesmo que bovinos. A maioria das pessoas se emociona com a visão de um novilho recém-nascido, entrando no mundo, e simpatiza com a inocência, a fragilidade, a vulnerabilidade dele. De fato, bezerros de pernas vacilantes são frequentemente os prediletos de livros infantis. Imagine, então, o choque de muitos americanos ao serem informados do sofrimento de aproximadamente um milhão de bezerros que são, anualmente, os subprodutos indesejados da indústria de laticínios.

De fato, se não fossem os laticínios, a indústria da carne de vitela provavelmente não existiria.

Como os novilhos machos nascidos de vacas leiteiras não têm utilidade para produtores de leite, eles são essencialmente descartados. Dias ou mesmo horas após o nascimento, os novilhos são amontoados num caminhão e alguns precisam ser arrastados, pois talvez ainda não sejam capazes de caminhar de forma adequada. Esses novilhos acabam em leilões, onde podem ser vendidos por quantias irrisórias para produtores de carne de vitela. E como são literalmente recém-nascidos, não é fora do comum que os novilhos no ringue do leilão tenham as peles ainda oleosas do útero e cordões umbilicais pendendo do estômago.

Por toda a duração de suas curtas vidas (embora alguns sejam mortos em questão de dias, a maioria dos novilhos vive de 16 a 18 semanas) são acorrentados ou amarrados pelo pescoço e confinados a baias tão minúsculas que não podem sequer se virar ou deitar normalmente.* [37] E para produzir a cor clara pela qual a carne de vitela é conhecida, os animais são regularmente alimentados com uma dieta não natural carente de ferro, de modo que ficam cronicamente no limite da anemia. Os novilhos passam a vida imobilizados, num estado enfermiço e, como era de se esperar, tem se observado que exibem alguns dos mesmos comportamentos neuróticos que outros animais sob forte estresse: sacudindo anormalmente a cabeça, cavando, dando coices, coçando-se e mascando.

O abate dos novilhos não é diferente do abate de outros animais; pretende-se que fiquem inconscientes antes de serem postos nas correntes, mas de novo esse método está longe da perfeição. Um trabalhador que Eisnitz entrevistou descreve uma parte do processo:

> De manhã, o grande tráfego era o dos bezerros... Para acabar com eles mais depressa, se colocava oito ou nove ao mesmo tempo no boxe de abate. Assim que começam

---

* Porta-vozes da indústria de carne de vitela dizem que a indústria pretende abolir gradualmente as baias individuais de vitelos, passando a currais coletivos em 2017.

> a entrar, se começa a atirar, os bezerros pulam, ficam todos amontoados uns em cima dos outros. Você não sabe quem levou tiro e quem não levou tiro nenhum; e esquece dos que estão no fundo. Mesmo assim eles são pendurados e seguem a linha se debatendo e gritando. Eu não me sentia bem em matar os filhotes... de duas, três semanas de vida... e simplesmente os deixava passar.[38]

Parece haver um ponto em que a violência do carnismo é tamanha que até as mais vigorosas defesas do sistema hesitarão.

Frutos do Mar ou Vida no Mar? Peixe e outros Animais Marinhos

Muitos de nós nos sentimos tão distantes dos peixes e de outras criaturas do mar habitualmente consumidas que sequer pensamos em seus corpos como carne. Por exemplo, quando sabe que alguém é vegetariano, o comedor de carne frequentemente reagirá perguntando: "Então você só come peixe?". Tendemos a não perceber o corpo das criaturas marinhas como carne porque – embora saibamos que elas não são vegetais nem minerais – frequentemente não pensamos nas criaturas marinhas como animais. E por extensão, não pensamos nesses seres como sencientes, como tendo vida que é importante para eles. Assim, nos relacionamos com os animais do mar como se eles fossem plantas fora do normal, tirando-os do oceano tão facilmente quanto colhemos uma maçã de uma árvore.

Mas são os animais marinhos os organismos irracionais, insensíveis, que muitas pessoas presumem que sejam? Não, segundo vários neurobiólogos, estudiosos do comportamento animal e outros cientistas pelo mundo afora. Existe uma massa significativa de pesquisa demonstrando que os peixes e outras criaturas do mar possuem tanto inteligência quanto capacidade de sentir dor. Pesquisa sobre a inteligência da vida marinha tem, por exemplo, produzido evidência de que os peixes não esquecem o que vivenciaram momentos atrás, tendo uma extensão de memória de pelo menos três meses.[39] Além disso, uma cientista da Universidade de Oxford, dra. Theresa Burt de Perera, determinou que os peixes podem criar "mapas mentais" de seu meio, que lhes permitem memorizar e se adaptar a mudanças no ambiente – uma tarefa que está além da capacidade cognitiva dos hamsters. Por causa dessas descobertas, agora é ilegal na cidade de Monza, na Itália, manter peixinhos dourados confinados em pequenos aquários. E as lagostas, algumas com um período de vida mais longo que o dos humanos, possuem mais de 400 tipos de receptores químicos em suas antenas que, segundo o dr. Jelle Atema, do Marine Biological Laboratory, em Woods Hole, Massachusetts, podem capacitá-las a detectar o sexo, a espécie e até mesmo o humor de outro animal.

Assinalei mais no início deste capítulo que os cientistas demonstraram a senciência de certos tipos de crustáceos, fazendo com que fosse aprovada uma lei protegendo essas espécies. Do mesmo modo, acumulam-se as provas de que outros animais marinhos podem sentir dor; os pesquisadores descobriram, por exemplo, que os peixes têm uma série de receptores de dor em várias partes do corpo e que emitem neurotransmissores que agem como analgésicos, assim como fazem as endorfinas humanas.[40] Num estudo, pesquisadores do Roslin Institute e da Universidade de Edimburgo injetaram nos lábios de um grupo de peixes uma substância ácida, dolorosa, e num outro grupo de peixes uma solução salina. O primeiro grupo exibiu um movimento oscilante, "notavelmente semelhante ao tipo de movimento visto em... mamíferos submetidos ao estresse". Além disso, os animais estavam sem a menor dúvida sofrendo: esfregavam os lábios no cascalho do tanque e contra as paredes e demoraram quase três vezes mais que o grupo de controle para voltarem a se alimentar (esse estudo estimulou o debate sobre a ética da pesca recreativa, com defensores dos animais sustentando que empalar a boca dos peixes por diversão é uma forma de crueldade para com os animais).

Outra pesquisa sugeriu que os animais marinhos podem realmente experimentar uma reação pós-traumática à dor. Num estudo decisivo, cientistas da Universidade Purdue e da Escola Norueguesa de Ciência Veterinária prenderam aquecedores de lâmina em dois grupos de peixes e administraram morfina a um dos grupos.

Aumentaram então a temperatura da lâmina para observar a reação dos peixes (nenhum peixe sofreu lesão permanente no experimento). Os pesquisadores presumiam que a morfina permitiria que o peixe suportasse mais calor. O fato é que ambos os grupos de peixes se contorceram à mesma temperatura, levando os pesquisadores a concluir que a contorção era uma reação reflexa e não indicava dor. Contudo, depois de serem devolvidos aos tanques, os peixes que não tinham recebido morfina exibiram comportamentos defensivos, indicando ansiedade ou receio. Os pesquisadores concluíram que os peixes estavam tendo uma reação pós-traumática à dor: "Converteram a dor em medo, como nós fazemos".

Não obstante, nos Estados Unidos, 10 bilhões de animais marinhos são abatidos a cada ano, muitos dos quais destinados ao consumo humano. Há dois modos pelos quais esses animais são capturados, criados e mortos: pela pesca comercial e por meio de fazendas aquáticas.[41] Todos esses métodos causam sofrimento intenso aos animais e extenso dano ao meio ambiente.

A pesca comercial é responsável não apenas pela redução de 70% das espécies de peixes do mundo, mas também por sérios danos a outras espécies de animais. Um dos métodos usados na captura dos peixes é arrastar redes compridas sob a superfície do oceano. Essas redes provocam quantidades enormes de "subcapturas" – capturas de animais diferentes dos que se tinha em vista. Estima-se que, a cada ano, mais de 30 milhões de toneladas de animais marinhos, incluindo aves, tartarugas, golfinhos e peixes indesejáveis sejam devolvidos ao oceano, mortos ou agonizando; as redes deixadas no mar continuam a servir de armadilha para aves marinhas e outros animais que inadvertidamente as encontrem. Alguns pesqueiros usam dinamite ou cianureto em lugar de redes, mas tais métodos podem destruir ecossistemas inteiros. A pesca comercial traz tamanha ameaça à biodiversidade marinha que tem sido mencionada como "desmatamento submarino".

Algumas pessoas preferem comer peixes criados em fazendas em vez de pescados comercialmente, para assim ajudar a preservar a biodiversidade dos oceanos. Contudo, a maioria do alimento usado para os peixes criados em fazendas vem do mar; estima-se que, para cada 450 gramas de peixes produzidos em fazenda, são usados mais de 2 quilos de vida marinha. Os peixes de fazenda são criados em viveiros, que são os confinamentos para animais marinhos. Essas instalações podem estar baseadas em terra, em ambientes controlados, internos, ou baseadas no mar, situadas perto do litoral. Ambos os tipos de viveiro alojam dezenas de milhares de peixes ou outros animais marinhos espremidos em cercados superlotados, cheios de parasitas e doenças. Para controlar as enfermidades, acelerar o crescimento e modificar hábitos reprodutivos, os animais recebem antibióticos, pesticidas, hormônios e alguns são geneticamente alterados. As substâncias químicas são absorvidas pelos animais e também vazam para o ambiente, terminando em nossos sistemas digestórios e no ecossistema. Não é raro peixes fugirem dos cercados baseados no mar e, ao fazê-lo, podem disseminar doenças ou reproduzir-se e contaminar o material genético.

Os peixes podem ser abatidos de várias maneiras. Na pesca comercial são frequentemente levados a morrer sufocados após serem trazidos para terra. Peixes de fazendas costumam ser retirados dos cercados por uma bomba e despejados numa área de abate. Lá podem ser aplicados diferentes métodos de abate, incluindo o eletrochoque, que leva a um ataque letal, como o de epilepsia; o de percussão, que é a administração de um golpe na cabeça com um bastão; o de choque térmico, em que os animais são deixados no gelo e congelam vivos; o de asfixia; ou o de espigão, em que é enfiado um cravo no cérebro dos animais.

Apesar da violência inerente à produção de frutos do mar, muita gente não se sente perturbada pela visão de pelo menos alguns aspectos desse processo. Assim, a defesa primária do sistema carnista, a invisibilidade, desempenha um papel menor quando se trata do processamento de criaturas marinhas; a maioria das pessoas pode testemunhar o abate de peixes, por exemplo, sem experimentar o trauma que poderiam ter se presenciassem o abate de um porco. Talvez isso aconteça porque, como os animais marinhos parecem tão fundamentalmente diferentes dos seres humanos, tão estranhos, nós nos sentimos suficientemente distanciados deles para que seu sofrimento permaneça invisível, mesmo quando se dá diante de nós.

Às Portas da Morte: Animais Caídos

Animais caídos ou "gado incapaz de locomoção" são animais (terrestres) doentes ou feridos demais para se levantar ou caminhar sozinhos. São frequentemente largados para morrer em currais e leilões. Foi documentado o despejo de animais ainda vivos numa "pilha de mortos", que poderia conter dezenas de cadáveres. Os animais caídos que não são jogados fora podem ser arrastados por ganchos ou correntes, ou então empurrados por uma empilhadeira, um processo que fere severamente animais já estropiados.[42] (Em 2004, depois de o primeiro caso da doença da vaca louca ser divulgado nos Estados Unidos, o USDA proibiu a prática de usar parte do gado caído para consumo humano. E em março de 2009, o presidente Barack Obama anunciou que o USDA passaria a proibir o uso de qualquer gado incapaz de se locomover no suprimento alimentar da nação.)

Em ideologias violentas, não só a violência em si mesma é invisível; os seus vestígios também são. Onde estão todas as "sobras" da produção de carne? Onde estão as pilhas e pilhas de animais caídos, os mais de 500 milhões de animais que podem ser atirados uns em cima dos outros e abandonados para morrer?

"Essa... Tortura Obscena Tem de Parar e só Gente como Nós Pode Ajudar."

Na Coreia do Sul, milhões de cachorros são mortos todo ano para servir de comida. Embora o comércio coreano de carne de cachorro não seja oficialmente sancionado pelo governo, também não é objeto de censura. Atualmente está sendo preparado um projeto de lei que classificaria os cães como animais usados na alimentação, uma iniciativa que pode fazer a indústria de carne de cachorro ter um crescimento explosivo.

Em 2002, o jornal britânico *Telegraph* publicou um artigo documentando a vida e morte dos cachorros criados para servir de comida:

> O mau cheiro e os latidos de cachorros enjaulados podem ser de revirar o estômago, mas Lee Wha-jin deixa alegremente cair travessas de ensopado com carne de cachorro nas toalhas de plástico brancas de seu restaurante no famigerado mercado noturno Moran, em Seul.
>
> Nos fundos de uma fileira de casas comerciais, filhotes de oito meses de vida – considerada a idade excelente para serem comidos – são comprimidos em jaulas minúsculas unidas em fileiras de três ou quatro andares.
>
> Os fregueses escolhem, dentre os animais vivos, os que vão querer. O cachorro é então levado para os fundos do restaurante onde uma frágil cortina ou uma porta de vaivém obscurece a visão, mas não o ruído, de uma morte hedionda...
>
> Antes de chegar à sinistra coleção de jaulas nos fundos dos restaurantes, a maioria dos cães tem de suportar o tormento de uma fazenda coreana de cães escondida nas colinas da área rural. Não é raro serem criados dez filhotes numa jaula, cheios de feridas e parasitas...
>
> A morte dos cachorros é tão desumana quanto sua criação. A maioria é espancada até a morte, pois se julga que isso estimula a produção de adrenalina, que os homens sul-coreanos acreditam que fortalecerá sua virilidade.
>
> Uma vez mortos, ou quase mortos, os cães são jogados em água fervente, esfolados e pendurados pelo maxilar num gancho de carne. Muitos cozinheiros então usam um maçarico para tornar a carcaça lustrosa.[43]

O comércio sul-coreano de carne de cachorro tem encontrado violenta oposição de grupos de defesa animal e estrangeiros – muitos dos quais consumem regularmente a carne de porcos, galinhas e bovinos. Lee Won-Bok, presidente da Associação Coreana de Proteção Animal, diz: "É horrível imaginar carne de cachorro em exibição ao lado de carne de boi e pernil nos supermercados". E blogueiros horrorizados, no site da American Society for the Prevention of Cruelty to Animals – ASPCA[44] [Sociedade Americana para a Prevenção da Crueldade contra os Animais], fazem eco a esse sentimento. Como Won-Bok, os blogueiros dão voz ao que muita gente sente quando toma consciência da crueldade contra os animais:

Pessoas [d]ecentes não podem se omitir diante deste problema, pois causa extremo e completo horror o consumo da carne e pele de cachorros/gatos etc., que ocorre no Extremo Oriente, onde milhões de cachorros e gatos são esfolados vivos, cozidos vivos, alguns até mesmo esfolados vivos e DEPOIS cozidos vivos. O [E]xtremo Oriente é responsável pela pior, a mais obscena crueldade contra os animais já vista neste planeta, e em grande escala.

... A [ma]ioria das pessoas só vê e ouve o que quer e como isso não está acontecendo aqui, nos Estados Unidos, as pessoas terão a tendência de ignorar, mas justamente porque está acontecendo no estrangeiro é que não vai parar. As pessoas precisam tirar a cabeça da areia e fazer alguma coisa por esses animais.

Isso porque os cachorros que são finalmente mortos para consumo, se eles têm mesmo uma vida, é uma vida de puro tormento...Cachorros não são nem animais selvagens nem gado... Todos, pelo mundo afora, devem agir agora. Salve os cachorros na Coreia. Nós acreditamos que você pode.

Já vi crueldade em todas as partes do mundo, mas o Extremo Oriente é verdadeiramente chocante em sua atitude para com os animais... Por que isso? Minha teoria é a de que eles sabem que o esclarecido Ocidente geralmente dá a cães/gatos o respeito que eles merecem e suas sociedades atrasadas não estão dispostas a se atualizar.

Deduzo que muitas [pessoas] são completamente ignorantes da situação no Extremo Oriente e falando francamente não podemos realmente censurá-las; afinal, quantas pessoas decentes algum dia imaginariam que animais pudessem ser submetidos a uma tão desnecessária e estranha crueldade.

Pessoas [d]ecentes de todo lugar têm de enfrentar esse problema, mesmo que ele possa lhes dar pesadelos... [E]ssa tortura obscena, satânica e perversa tem de parar, e só gente como nós pode ajudar.

Se os Matadouros Tivessem Paredes de Vidro

Sir Paul McCartney um dia afirmou que se os matadouros tivessem paredes de vidro, todos seriam vegetarianos. Ele acredita que, se conhecêssemos a verdade sobre a produção de carne, seríamos incapazes de continuar comendo animais.

Contudo, em certo nível, conhecemos a verdade. Sabemos que a produção de carne é um negócio meio sujo, mas preferimos não saber exatamente até que ponto é sujo. Sabemos que a carne vem de um animal, mas preferimos não ligar os pontos. E com frequência comemos animais e preferimos não pensar sequer no fato de que estamos fazendo uma escolha. Ideologias violentas estão estruturadas de tal forma que não é apenas possível, mas inevitável que tenhamos consciência de uma verdade desagradável em certo nível, enquanto em outro nos esquecemos dela. Comum a todas as ideologias violentas é este fenômeno de *saber sem saber*. E ele é a essência do carnismo.

Inerente às ideologias violentas é o acordo tácito entre produtor e consumidor de não ver nada de mau, não ouvir nada de mau, não falar nada de mau. Claro, a indústria agropecuária faz de tudo para proteger seus segredos. Mas tornamos o trabalho fácil para eles. Dizem-nos para não olhar e viramos a cara. Dizem que bilhões de animais que nunca vemos vivem ao ar livre em fazendas tranquilas e, por mais ilógico que seja isso, nada questionamos. Tornamos seu trabalho fácil porque, em certo nível, a maior parte de nós não quer saber como são realmente as coisas.

Mas, ao mesmo tempo, também queremos e merecemos a liberdade de tomar decisões informadas, de pensar livremente e sermos consumidores ativos. Essa liberdade é obviamente impossível se não estivermos sequer conscientes de que, antes de qualquer coisa, estamos fazendo escolhas. Quando uma ideologia invisível guia nossas crenças e comportamentos, tornamo-nos vítimas de um sistema que roubou nossa liberdade de pensar por nós mesmos e de agir de acordo.

Quando compreendemos como são as coisas realmente (quando reconhecemos o funcionamento interno do sistema), então, e só então, ficamos em condições de fazer livremente nossas escolhas. Chamá-las de carnismo e desmistificar as práticas de produção de carne pode nos ajudar a começar a ver por trás da fachada do sistema. Schlosser se manifesta com eloquência sobre esse aspecto do problema e parece bem adequado encerrar o capítulo com a conclusão de sua jornada através da vida e da morte dos animais que comemos:

> Enquanto caminho ao longo da cerca, um grupo de vacas se aproxima de mim, olhando-me bem no olho, como cachorros à espera de um carinho, e me seguem, devido a algum impulso misterioso. Paro e tento absorver o conjunto da cena: a brisa fresca, as vacas e seu mugido amável, um céu sem nuvens, fumaça saindo do galpão [do frigorífico] ao luar. E então reparo que o prédio tem mesmo uma janela, um pequeno quadrado de luz no segundo andar. Ela permite um vislumbre do que está escondido atrás dessa enorme fachada branca. Através da pequena janela, pode-se ver carcaças muito vermelhas em ganchos, passando sem parar de um lado para o outro.[45]

Capítulo 4

Efeito Colateral: as Outras Vítimas do Carnismo

Os fatos não deixam de existir por serem ignorados.

– *Aldous Huxley*

No Capítulo 3, investigamos a vida e a morte dos animais cuja criação para fornecer carne, ovos e laticínios é mais comum nos Estados Unidos. Por razões de brevidade, não falei sobre os animais consumidos com menor frequência, como cordeiros, cabras e patos. Também não mencionei um importante grupo de animais que são as outras vítimas do carnismo, animais que são o com-tanta-frequência-esquecido *efeito colateral* da indústria agropecuária.

Como os porcos e outras espécies sobre as quais falamos, a grande maioria desses animais – mais de 300 milhões deles – são tratados como mercadorias, como meios para determinados fins. Como os outros animais, seu bem-estar afeta o lucro. E como os outros animais, recebem pouca proteção da lei.

Essas outras vítimas do carnismo são raramente o foco de atenção quando se discute a produção de carne. Também elas são vítimas invisíveis – não porque não sejam vistas, mas porque não são reconhecidas. São os animais humanos. São os trabalhadores dos frigoríficos e laticínios, as pessoas que moram perto das CAFOs [confinamentos] poluidoras, os consumidores de carne, os contribuintes. Somos eu e você. *Nós* somos o efeito colateral do carnismo; pagamos por ele com nossa saúde, nosso meio ambiente e nossos impostos – 7,64 bilhões de dólares por ano, para ser exata.[46]

Os trabalhadores dos frigoríficos passam praticamente todas as suas horas de vigília em instalações superlotadas, com pisos que podem estar cobertos de sangue e gordura.[47] O ritmo implacável da linha de desmontagem deixa-os sob o risco contínuo de ferimentos sérios. E empregados de uma CAFO – que estão expostos aos gases nocivos da concentração de resíduos – podem desenvolver doença respiratória séria, disfunção reprodutiva, degeneração neurológica, ataques cardiovasculares e comas.[48] Condições de trabalho tão pouco saudáveis e perigosas podem levar a uma variedade de outros males físicos, mas raramente esses empregados recebem tratamento médico, pois é mais racional em termos de custos perder alguns deles prematuramente do que atender às suas necessidades físicas. Não causa surpresa que, como outros animais que têm de ser espicaçados quando resistem a seguir ordens, os trabalhadores de frigoríficos possam ser intimidados, tanto física quanto psicologicamente, se deixam de corresponder às exigências.

Pessoas que residem perto das CAFOs têm sido envenenadas por despejos industriais, o que inclui sulfitos e nitratos. Essas toxinas contaminam tanto o ar quanto a água potável e podem levar à asma crônica e irritação dos olhos, bronquite, diarreia, dor de cabeça severa, náusea, abortos espontâneos, malformações congênitas, mortalidade infantil e surtos de doenças viróticas e bacterianas.

E os consumidores de carne – aproximadamente 300 milhões de americanos – estão inadvertidamente ingerindo uma série de contaminantes. Nossa carne está frequentemente impregnada de hormônios sintéticos (alguns dos quais têm sido associados ao desenvolvimento de vários cânceres e estão banidos tanto do consumo humano quanto do consumo animal na União Europeia), de doses maciças de antibióticos, de pesticidas, herbicidas e fungicidas tóxicos (substâncias reconhecidamente cancerígenas), de variedades potencialmente letais de bactérias e vírus, de petróleo, carcaças envenenadas por rato, terra, pelo e fezes.[49]

Em seu *best-seller Fast Food Nation*, Eric Schlosser capta a essência do efeito colateral do carnismo: "Há merda na carne". Contudo, embora Schlosser estivesse se referindo especificamente à matéria fecal, o tema deste capítulo abrange muito mais que apenas fezes. Trata de tudo que contamina a carne que comemos, de podridão a doença. Trata da recusa de um sistema doente.

A história de como a merda chegou à nossa carne é a história de uma das características centrais do carnismo e de outras ideologias violentas: o sistema depende de uma clientela de vítimas *indiretas*, vítimas desatentas que não apenas sofrem as consequências do sistema, mas que também ajudam esse sistema ao participar involuntariamente de sua própria vitimização. O sistema cria essas vítimas parecendo ser uma coisa que não é para que nos sintamos seguros quando estamos em risco e livres quando fomos coagidos. A história de como a merda chegou à nossa carne é a história das vítimas humanas do carnismo.

Até que Ponto Estamos Seguros?

Em 1906, Upton Sinclair publicou *The Jungle* [*A Selva*], seu famoso desmascaramento da indústria frigorífica. *A Selva* documentava a corrupção da agropecuária e as condições sórdidas, perigosas, que caracterizavam os galpões frigoríficos e os matadouros. Sinclair descreveu instalações onde os trabalhadores pisavam em bem mais de um centímetro de sangue, em salas de abate repletas de ratos (vivos e mortos), alguns dos quais acabavam processados junto com a carne. Os trabalhadores viviam sob o risco permanente de ter os dedos cortados e de cair em tonéis de banha, "coisa que seria ignorada durante dias, até que apenas os ossos deles tivessem surgido para o mundo como Puro Toucinho de Durham!".[50] *A Selva* denunciava situações tão espantosas e tão repugnantes que tanto os cidadãos comuns quanto os responsáveis pelas políticas públicas se sentiram ultrajados. Essa indignação pública levou à aprovação do Meat Inspection Act [Lei de Inspeção da Carne] e do Pure Food and Drug Act [Lei sobre a Pureza dos Alimentos e Medicamentos], que determinava inspeções regulares de matadouros e instalações de processamento.

Muita gente ficou sabendo do livro *A Selva* e de como ele foi importante para a conquista de leis regulando a produção de carne. Contudo, poucos se dão conta de que raramente foi possível exigir o cumprimento dessas leis e que as décadas que se seguiram à publicação de *A Selva* viram poucas melhorias nas condições dos frigoríficos. Na realidade, sob muitos aspectos, as condições de hoje são ainda piores; o aparecimento de unidades maiores e tecnologias de processamento mais rápido, acompanhado de um número inadequado de inspetores federais, deixou os trabalhadores ainda mais sobrecarregados e as instalações ainda mais abarrotadas e difíceis de policiar.

Infecções, Inspeções e o USDA

As inspeções acontecem em dois níveis: de perto e a distância. De acordo com o Meat Inspection Act [Lei de Inspeção da Carne] de 1906, inspetores do USDA deveriam executar inspeções no local: deveriam examinar os órgãos e outras partes do corpo dos animais para ver se não havia doenças, usar equipamento para detectar micróbios, examinar as carcaças em busca dos primeiros sinais de contaminação e insetos, verificar a limpeza adequada de paredes e aposentos. Na década de 1980, porém, uma nova legislação transferiu os encargos de controle de qualidade do governo para os próprios frigoríficos.[51] Isso significa que os próprios empregados das corporações, em vez de inspetores federais, são agora os principais responsáveis pelas inspeções no local – empregados que, como se tem constatado, não possuem a formação nem a experiência necessárias para identificar grande parte dos sinais de contaminação e enfermidade, e que frequentemente não falam um inglês suficientemente bom para comunicar o que encontram. Desde a aprovação da nova legislação, estudos em diversas instalações revelaram que os inspetores das empresas não sabiam que uma peça de carne que tinha uma etiqueta do USDA estava condenada e não sabiam reconhecer os sinais de cisticercose.* Essas investigações também revelaram que os inspetores das empresas eram incapazes de reco-

* Infecção parasítica causada pela tênia em suínos e bovinos. (N. do T.)

nhecer infecções, a não ser que houvesse pus saindo de um abcesso. Na realidade, parece que nos frigoríficos de nosso país carne contaminada é a regra, não a exceção. Pesquisadores da Universidade de Minnesota descobriram que, em mais de mil amostras de comida vindas de numerosos mercados varejistas, 69% da carne de porco e de vaca, além de 92% das aves domésticas, estavam contaminadas por matéria fecal que continha a bactérica *E. coli*, potencialmente perigosa, e segundo um estudo recente, publicado no *Journal of Food Protection*, a contaminação fecal foi encontrada em 85% dos filés de peixe obtidos de mercados varejistas e pela Internet.[52] Além disso, a Organização Mundial de Saúde advertiu que a influenza aviária – o vírus potencialmente letal às vezes mencionado como "gripe aviária" – pode ser disseminada pela matéria fecal de aves infectadas.[53]

Mesmo que os trabalhadores fossem capazes de identificar partes do corpo contaminadas, os padrões de qualidade da comida são tão baixos que muitas carcaças com problemas ainda assim passariam pela inspeção. As carcaças têm sido consideradas aceitáveis para o consumo humano mesmo quando contêm coágulos de sangue, nódoas, cicatrizes de úlceras, marcas de velhice e hemorragias. Como explicou um inspetor do USDA: "Os veterinários estão agora aproveitando cabeças de gado cuja respiração tem um chiado alto antes do abate e cujos pulmões estão cheios de líquido, animais que têm cicatrizes e abcessos se estendendo de cima a baixo pelos lados dos pulmões e grudados nas costelas, e que têm vasos sanguíneos estourados em rins que não funcionam mais... animais que estão empanturrados de comida regurgitada... escorrendo do corpo".[54] E em 2007, o *Chicago Tribune* publicou um artigo denunciando como o USDA considerou aceitável que os pecuaristas vendessem carne que foi contaminada com *E. coli*, desde que o produto tivesse o rótulo "consumir apenas depois de cozida". Carne para ser consumida apenas depois de cozida é supostamente segura para ser comida desde que tenha sido completamente cozida, mas – sem conhecimento dos consumidores – tem sido vendida como produto pré-cozido e tem acabado na merenda escolar.[55]

As condições anti-higiênicas dos prédios e da maquinaria também podem constituir uma ameaça para a saúde humana. Um exame dos relatórios do USDA de 2001-2002 feito pela Human Rights Watch revelou uma incapacidade da Nebraska Beef, uma das maiores empresas frigoríficas da nação, para atender a padrões sanitários básicos. Além de documentar a contaminação de carcaças, incluindo "ingesta [alimento saído do trato digestório do animal] nos... lados da carcaça; material fecal visível no pescoço, axila, sob os músculos e sob a área carnuda dos lados de duas carcaças; uma mancha de contaminação fecal de 28 cm por 2,5 cm sobre o ombro (de uma carcaça); vários pedaços de uma matéria fecal esverdeada na área da barriga", o exame observou as seguintes condições: "uma ratoeira que continha um camundongo podre... uma grade para escoamento embutida no piso, com um resíduo preto e acinzentado... respingos escuros sobre caixas de produto comestível... cheiro de esgoto... etiquetas de armadilhas para capturar insetos encontradas durante inspeção para controle de pragas; ingesta amarela visível atrás da placa de aço inoxidável..."[56]

Talvez, então, não seja surpresa que a Nebraska Beef acabasse finalmente recolhendo sua carne moída – quase 250 quilos. O recolhimento aconteceu em junho de 2008, depois que cinquenta pessoas caíram doentes por terem comido carne que estava contaminada com *E. coli*. Após o recolhimento, as autoridades federais asseguraram aos consumidores que a carne da companhia era boa para o consumo. Contudo, menos de um mês depois, outro surto fez a Nebraska Beef recolher quase 550 mil quilos de carne de vaca contaminada.[57]

Alguns inspetores do USDA têm expressado grande preocupação com as condições anti-higiênicas nos frigoríficos e, no entanto, sua voz tem pouco peso para promover mudanças. Não possuem mais autoridade para paralisar a linha de montagem se observarem alguma coisa suspeita, nem podem tomar providências para corrigir a situação. Na realidade, para que a queixa de um inspetor federal seja levada seriamente em conta, a *própria* companhia tem de concordar que há um problema.

As enormes falhas do atual sistema de inspeção foram descritas em outro artigo do *Chicago Tribune* em 2007.[58] Felicia Nestor, uma renomada analista política do Food and Water Watch [Observatório do Alimento e da Água], grupo de segurança alimentar sediado em Washington, DC, disse ao *Tribune*: "Os inspetores não ficam... por tempo integral, na grande maioria das unidades de processamento... Na maior parte das vezes, os inspetores estão de visita nas unidades de processamento, o que significa que cobrem várias unidades". E altos funcionários federais informam que há anos as metas de inspeção não vêm sendo atendidas; a carga de trabalho dos inspetores é tão extenuante que eles se limitam a executar rápidas verificações dos registros da companhia, em vez de realizar exames físicos da carne e dos ovos. Os inspetores passam seu tempo monitorando o plano de análise de riscos de uma empresa frigorífica e não têm tempo para realmente cumprir os regulamentos de inspeção do USDA. Um inspetor disse ao *Tribune*: "Eles [os frigoríficos] fazem seu próprios planos. Fazem tudo sozinhos. É o que estamos 'monitorando' agora. É uma brincadeira. Atualmente nós verificamos principalmente papéis. E você pode pôr o que quiser no papel".

O resultado de tudo isso é que as corporações, cujo objetivo primeiro é aumentar a margem de lucro, são autorizadas a policiar a si mesmas. Deixamos a raposa tomando conta do galinheiro. E, como era de se esperar, acabamos com merda na nossa carne.

O Animal de Matadouro Humano

A carne tem há muito tempo representado a liberdade de explorar livremente.

– *Nick Fiddes,* Meat: A Natural Symbol

Muitos trabalhadores de frigoríficos são imigrantes ilegais da América Latina e da Ásia que recebem pouco ou nenhum treinamento. Schlosser entrevistou um sangrador (trabalhador de matadouro), que lhe disse: "Ninguém me ajudou com treino... Nenhum treinamento para usar a faca... Então a gente vê como as pessoas do nosso lado fazem o trabalho e faz igual".[59] Além de terem de executar tarefas para as quais estão inteiramente despreparados, esses empregados se veem em condições de trabalho espoliadoras, arriscadas, insalubres e violentas. Passam horas e horas num ambiente saturado de morte, com alto nível de estresse, e sofrem com isso – imagine matar 23 galinhas por minuto, totalizando *25 mil* por dia.

Numa entrevista para a revista *Mother Jones*, Schlosser comenta sobre o ritmo implacável da linha de produção:

> A regra de ouro nos frigoríficos é "A Cadeia Não Vai Parar"... Nada se coloca no caminho da produção, nem avarias mecânicas, panes ou acidentes. Empilhadeiras quebram, serras ficam superaquecidas, trabalhadores deixam facas cair, trabalhadores se cortam, trabalhadores perdem os sentidos e ficam inconscientes no chão enquanto as carcaças passam oscilando e gotejando por eles, mas a cadeia continua funcionando... Um trabalhador me disse: "Tenho visto sangradores que ficam dando golfadas porque foram atingidos bem na veia, quero dizer, eles estão quase desmaiados, e lá vem de novo o cara do abastecimento com a água sanitária para tirar o sangue do piso, mas a cadeia nunca para. Ela nunca para".[60]

Como era de se esperar, o mais perigoso trabalho fabril nos Estados Unidos é o dos frigoríficos, e é também o mais violento. Por exemplo, os trabalhadores têm de usar máscaras de hóquei para que os dentes não sejam arrancados pelo coice de animais conscientes sendo arrastados por uma esteira transportadora. E pense nos títulos dos relatórios de acidentes publicados pela Occupational Safety and Health Administration – OSHA [Superintendência de Segurança e Saúde Ocupacionais], um órgão federal, que fornecem instantâneos das condições perigosas: *Empregado Hospitalizado por Laceração no Pescoço Provocada por Lâmina Voadora, Olho de Empregado Ferido ao Ser Atingido por Gancho Suspenso, Braço de Empregado Amputado ao Ser Apanhado pelo Amaciador de Carne, Empregado Decapitado por Corrente da Máquina de Remoção de Peles, Empregado Tem a Cabeça Esmagada pela Máquina de Raspar, Apanhado e Morto pela Máquina de Estripação.*[61] O fato é que, em 2005, pela primeira vez, o Human Rights Watch publicou um relatório criticando uma indústria específica dos Estados Unidos – a indústria de carne – por trabalhar em condições tão estarrecedoras que violam os direitos humanos básicos.[62]

Riscos Operacionais na Indústria de Processamento da Carne

Operação Executada	Equipamento/Substâncias	Acidentes/Ferimentos
Insensibilização	Arma de atordoamento	Choque severo, perfurações no corpo
Esfolamento/remoção das patas dianteiras	Aparelho com tenaz	Amputações, ferimento nos olhos, cortes, quedas
Esquartejamento da carne	Serras de disco	Ferimento nos olhos, síndrome do túnel do carpo, amputações, cortes, quedas
Remoção do cérebro	Extrator de miolos	Cortes, amputações, ferimento nos olhos, quedas
Transporte de produtos	Transportadores helicoidais, escavador helicoidal	Fraturas, cortes, amputações, quedas
Corte/remoção das aparas/desossamento	Facas manuais, serras – serra circular, serra de fita	Cortes, ferimento nos olhos, síndrome do túnel do carpo, quedas
Remoção do osso maxilar/focinho	Extrator do maxilar/focinho	Amputações, quedas
Preparação do toucinho para fatiamento	Prensa de toicinho/barriga	Amputações, quedas
Amaciamento	Amaciadores elétricos de carne	Choque severo, amputações, cortes, ferimento nos olhos
Limpeza do equipamento	Bloqueio, sinalização	Amputações, cortes
Levantamento/ acorrentamento	Corrente, transportador aéreo	Quedas, carcaças caindo

Acondicionamento da carne	Máquina seladora/cloreto de polivinila, carne	Exposição a substâncias tóxicas, queimaduras severas nas mãos e nos braços, quedas
Puxar a carne	Carcaças	Lesões severas nas costas e nos ombros, quedas
Refrigeração/ secagem, limpeza, acondicionamento	Amônia, dióxido de carbono, monóxido de carbono, cloreto de polivinila	Grande irritação respiratória e danos respiratórios

Fonte: Publicação do U.S. Department of Labor, Occupational and Safety Health Administration (OSHA).

Matadores Condicionados

Dada a brutalidade do processo de abate, é facil presumir que as pessoas cujo trabalho seja matar animais sejam sádicas ou de alguma forma psicologicamente perturbadas. Contudo, embora o distúrbio psicológico e mesmo o sadismo possam *resultar* de exposição prolongada à violência, não são necessariamente a *causa* de os indivíduos procurarem uma carreira que tenha relação com o ato de matar. Em qualquer ideologia violenta, os que estão no "negócio de matar" podem não se mostrar insensíveis quando começam, mas acabam se acostumando à violência que um dia os perturbou. Tal aclimatação reflete o mecanismo de defesa chamado *rotinização* – executar rotineiramente uma ação até se tornar insensível ou entorpecido com relação a ela. Por exemplo, a investigadora agropecuária Gail Eisnitz entrevistou um trabalhador de matadouro que disse:

> A pior coisa, pior até que o perigo físico, é o custo emocional. Basta a pessoa trabalhar algum tempo nesse poço de gosma para desenvolver uma atitude que permite que ela mate coisas, mas não deixa que se importe com isso. A pessoa pode olhar no olho um porco que está descendo com ela naquele poço de sangue e pensar: "Deus, realmente não é um animal feio". Pode querer fazer carinho nele. Porcos que desciam para a sala de abate chegavam a se aproximar e a me cheirar como filhotinhos de cachorro. Dois minutos

depois, eu tinha de matá-los – bater neles com um cano para matá-los. Eu não posso me importar.[63]

E quanto mais insensíveis os trabalhadores se tornam – quanto mais "não podem se importar" – mais se desenvolve o seu sofrimento psicológico. A maioria das pessoas não pode vivenciar muita violência sem ficar traumatizada por ela; estudos sobre veteranos de guerra, por exemplo, demonstram repetidas vezes o profundo efeito que tem sobre a psique a exposição à violência, particularmente quando a pessoa também foi um participante dessa violência. Trabalhadores traumatizados se tornam cada vez mais violentos com relação tanto a animais quanto a humanos e desenvolvem comportamentos de aproximação às drogas numa tentativa de amortecer sua angústia. O trabalhador que Eisnitz entrevistou descreveu como "tinha ideias de pendurar o capataz de cabeça para baixo sobre a esteira e espetá-lo".[64] Esse trabalhador continou explicando:

> A maioria dos sangradores foi presa por se envolver em assaltos. Grande parte deles tem problemas com álcool. *Eles têm de beber, não têm outro meio de aguentar ficar matando o dia inteiro animais agitados, que dão coices...* Muitos deles... só bebem e tomam drogas para afastar os problemas. Alguns acabam maltratando a esposa porque não conseguem se livrar do que estão sentindo. Saem do trabalho com esse estado de ânimo e vão até o bar para esquecer. Só que os problemas, mesmo que você tente afogar com a bebida o que está sentindo, ainda estão lá quando você fica sóbrio.[65]

Outro trabalhador disse a Eisnitz:

> Tenho descarregado nos animais a pressão e a frustração que sofro no trabalho... Tinha um porco vivo no poço. Não tinha feito nada de errado, não estava nem correndo em volta do poço. Só estava vivo. Peguei um cano de um metro... e literalmente espanquei aquele porco até a morte. Não podia

> sobrar um pedaço de cinco centímetros de osso sólido naquela cabeça. Basicamente, em poucas palavras, esmaguei o crânio dele. Simplesmente comecei a bater no porco e não pude parar. E quando finalmente consegui parar, eu dera vazão a toda a minha energia e frustração, e fico pensando o que, no bom nome de Deus, eu fiz?[66]

E um vídeo secreto, gravado pela People for the Ethical Treatment of Animals [Pessoas pelo Tratamento Ético dos Animais], mostra trabalhadores atirando leitões no chão, se vangloriando de espetar varas na anca de porcas e bater em porcos com barras de metal. Ao bater numa porca com uma barra de metal, um trabalhador grita: "Detesto eles. Esses (fedorentos) merecem ser feridos. Feridos, eu digo! Feridos! Feridos! Feridos! Feridos!... Jogue suas frustrações em cima deles".[67]

Embora o comportamento dos processadores de carne possa parecer extremo e irracional, é o resultado inevitável do trabalho nas linhas de frente de um sistema extremo e irracional.* Trabalhadores traumatizados que, por sua vez, traumatizam outros são vítimas da ideologia violenta que é o carnismo. A violência sem dúvida gera violência.

Os Intocáveis

A maioria das pessoas, coma carne ou não, compartilha a mesma atitude com relação ao abate de animais: vê o processo como repugnante e ultrajante. Assim como um tipo de carne que achamos repugnante tende a tornar os alimentos tocados por ela igualmente repugnantes (você continuaria comendo um ensopado se descobrisse que foi feito de carne de cachorro?), também o processo de abate parece contaminar os que matam os animais.[68]

---

* Alguns trabalhadores de matadouros sem dúvida ingressam na indústria como sociopatas: indivíduos que são antissociais, clinicamente "sem consciência" e que frequentemente sentem prazer em causar sofrimento a outros. Contudo, devemos estranhar uma indústria que tolera – e, na realidade, *requer* – comportamentos antissociais, como agressividade extrema, falta de piedade e violência.

Em várias culturas e por toda a história, carniceiros profissionais têm sido vistos como impuros, pois se encarregam da imoralidade de matar animais, dessa maneira protegendo outros da contaminação moral. Com frequência um grupo terá um indivíduo ou indivíduos designados para executar a matança, que serão "moralmente limpos" antes de entrar em contato com outros ou viverão separados do restante da comunidade. Por exemplo, o carniceiro designado pelos bembas, da Rodésia do Norte, cumpre cerimônias de purificação após a matança e os carniceiros dos antigos guanches, das Ilhas Canárias, não tinham permissão para entrar nas casas de outras pessoas ou de se associarem com quem não fosse também carniceiro. Em alguns casos, a tarefa do abate é atribuída a todo um grupo social: no Japão, por exemplo, os carniceiros faziam parte da Eta, uma subclasse cujos membros eram impedidos de ter contato com outros; na Índia, os intocáveis eram considerados espiritualmente inferiores e por isso relegados a tarefas espiritualmente "poluidoras", como serem carniceiros e trabalhar com couro; e no Tibete, carniceiros profissionais eram membros das classes mais baixas, porque violavam o dogma budista contra matar.

Nosso Planeta, Nós Mesmos

Mesmo não trabalhando na indústria frigorífica ou não comendo carne, não estamos imunes às consequências das práticas dos agronegócios com os quais compartilhamos o planeta. A produção de carne é uma das principais causas de cada forma significativa de dano ambiental: poluição do ar e da água, perda da biodiversidade, erosão, desmatamento, emissões de gases que aumentam o efeito estufa e esgotamento de água doce.[69]

No mundo industrializado, a consequência ambiental mais imediata da produção de carne é a poluição causada pelas CAFOs [confinamentos]. Montes do lixo repleto de substâncias químicas e enfermidades que é produzido por essas instalações se infiltram no solo, nos veios de água e se evaporam no ar, tornando o ambiente tóxico e fazendo adoecer as pessoas que residem nas proximidades. Despejos das CAFOs foram associados a uma série de moléstias, incluindo problemas respiratórios, enxaquecas severas e desordens digestivas. O lixo das CAFOs também tem sido relacionado a abortos espontâneos, malformações congênitas, mortalidade infantil e surtos de enfermidades. Na realidade, as CAFOs colocam de tal forma em risco a saúde humana que o Departamento de Saúde Pública dos Estados Unidos exigiu uma interrupção de seus despejos tóxicos.[70]

Contudo, a indústria pecuarista tem mantido incessantemente as mesmas práticas – porque pode. Embora esteja destruindo de forma sistemática o meio ambiente e as pessoas que vivem nele, a indústria pecuarista não está violando qualquer lei. Como é possível que o sistema legal, que foi estabelecido para nos proteger da exploração, acabe, ao contrário, protegendo as próprias indústrias que nos exploram? O que aconteceu à democracia?

Os Custos Ambientais da Carne[71]

- As Nações Unidas apontaram o setor dos frigoríficos como "um dos dois ou três principais responsáveis pelos mais sérios problemas ambientais, em todos os níveis, da escala local à global. O impacto é tão significativo", eles advertem, "que precisa ser enfrentado com urgência".
- A pecuária é provavelmente a maior fonte de poluição de água do mundo. As principais fontes da poluição vêm dos antibióticos e hormônios, das substâncias químicas dos curtumes, dos resíduos animais, dos sedimentos dos pastos erodidos, dos fertilizantes e pesticidas usados na produção de alimentos.
- Setenta por cento das terras anteriormente cobertas de florestas na Amazônia são agora pastagens para alimentação do gado.
- O agronegócio causa 55% da erosão e dos sedimentos produzidos nos Estados Unidos. Além disso, 37% de todos os pesticidas e 50% de todos os antibióticos utilizados nesse país são usados pela indústria pecuarista.
- Trinta por cento da superfície terrestre do planeta que é agora usada para pastagens era antigamente *habitat* para a vida selvagem.
- Sessenta a setenta por cento da captura de peixes do mundo é feita para alimentar o gado.
- Estima-se que o uso de antibióticos nos confinamentos adicione 1,5 bilhão por ano aos custos da saúde pública.

- São necessários 900 quilos de grãos para produzir carne e outros produtos de origem animal em quantidade suficiente para alimentar uma pessoa durante um ano. Contudo, se essa pessoa consumisse o grão diretamente, não através de produtos de origem animal, seriam necessários apenas 180 quilos desse alimento.
- O metano produzido pelo gado e seu esterco tem um efeito sobre o aquecimento global equivalente ao de 33 milhões de automóveis.
- Gases de efeito estufa produzidos pelo gado constituem 37% de todo o metano, 65% do óxido nitroso e 64% da amônia na atmosfera.

Democracia ou Carnocracia?

A burocracia ajuda a tornar o genocídio irreal. Ela... abranda os tons emocionais e intelectuais associados à matança... Existe apenas um fluxo de acontecimentos aos quais a maioria das pessoas... acaba por dizer sim... O assassinato em massa está em toda parte, mas ao mesmo tempo... em parte alguma.

– *Robert Jay Lifton,* The Nazi Doctors

Ideologias violentas falam sua própria linguagem; conceitos cruciais são traduzidos para manter o sistema, embora pareçam dar apoio às pessoas. Sob o carnismo, por exemplo, a democracia veio a ser definida como a liberdade de escolher entre produtos que adoecem nosso corpo e poluem nosso planeta, em vez da liberdade de comer nossa comida e respirar nosso ar sem o risco de sermos envenenados. Mas as ideologias violentas são essencialmente antidemocráticas, visto que dependem da fraude, do sigilo, do poder concentrado e da coerção – todas elas práticas incompatíveis com uma sociedade livre. Embora o sistema mais amplo, ou nação, possa parecer democrático, o sistema violento dentro dele não é. Uma das razões pelas quais não reconhecemos ideologias violentas que existem dentro de sistemas aparentemente democráticos é que simplesmente não estamos pensando em procurá-las.

Numa sociedade democrática, uma função central do governo é criar e implementar políticas e leis que melhor atendam aos interesses dos cidadãos. Presumimos, portanto, que a comida que chega à nossa mesa não vai nos deixar doentes ou nos matar. Presumimos isso porque acreditamos que os que fazem parte de nosso governo trabalham para nós, as pessoas que pagam seus salários; presumimos que o processo democrático nos protege dos que poderiam nos prejudicar.

Contudo, quando o poder está excessivamente concentrado em uma indústria, a democracia fica corrompida. É o caso da carne. A pecuária é uma indústria de 125 bilhões de dólares controlada por um punhado de corporações. Essas corporações são poderosas porque foram incorporando um número cada vez maior de empresas, absorvendo todos os negócios do ramo, incluindo empresas agroquímicas e de sementes agrícolas, que produzem pesticidas, fertilizantes, sementes e outros produtos; empresas de processamento que compram e processam o gado; empresas de alimentação que transformam a carne em produtos específicos, como os pratos congelados; varejistas do ramo alimentar, incluindo supermercados e cadeias de restaurantes; sistemas de transportes, incluindo ferrovias e empresas marítimas; companhias farmacêuticas; fabricantes de equipamentos agrícolas, como tratores e aspersores para irrigação; e até mesmo planos de investimento. Os economistas advertem que, quando uma indústria tem uma taxa de concentração que ultrapassa quatro companhias controlando 40% do mercado (a chamada CR4),* a competitividade declina e surgem sérios problemas, particularmente na área da proteção ao consumidor; os conglomerados se tornam capazes de impor os preços e determinar, por exemplo, a qualidade da comida. A indústria da carne excede em muito a CR4; por exemplo, quatro companhias de processamento de carne de vaca controlam 83,5% do mercado de carne bovina.[72] O poder do negócio pecuarista é tão grande que a indústria acabou entrelaçada com o governo, desrespeitando a fronteira entre interesses privados e serviço público.

---

* CR são as iniciais de *concentration ratio*, isto é, "taxa de concentração". (N. do T.)

Um processo que tem favorecido o entrelaçamento dos setores público e privado é o da "porta giratória",* por meio do qual executivos das empresas e altos funcionários governamentais trocam posições e reforçam redes de influências. Por exemplo, em 2004 tanto o atual quanto os antigos diretores da GIPSA, Grain Inspection, Packers and Stockyards Administration [Superintendência da Inspeção de Grãos, dos Empacotadores e Instalações de Confinamento] – uma divisão do Departamento de Agricultura que presta suporte à comercialização do gado e produtos agrícolas –, tinham trabalhado com grupos comerciais da indústria frigorífica.[73] E a então secretária da Agricultura, Ann Veneman, além de outros funcionários de alto escalão, tinham antigas e íntimas conexões com o negócio agropecuário, especialmente nas indústrias que tinham o dever de supervisionar: Dale Moore, chefe da equipe de Veneman, era diretor-executivo para assuntos legislativos da associação comercial National Cattlemen's Beef Association – NCBA [Associação Nacional dos Pecuaristas]; James Moseley, vice-secretário, era coproprietário de uma CAFO; e Mary Waters, secretária-assistente para relações com o congresso, era consultora legislativa e diretora sênior da ConAgra, uma das principais empresas frigoríficas dos Estados Unidos.[74]

Outra razão para essa superposição público-privado são as maciças contribuições para políticos e os esforços lobistas feitos pela indústria da carne. Por exemplo, em 2008, a indústria pecuarista contribuiu com mais de 8 milhões de dólares para candidatos ao congresso (e com frequência, grande parte das contribuições dos gigantes do agronegócio acabou indo para os que ocupavam cargos nas comissões agropecuárias da câmara e do senado).[75] Os lobistas promovem a agenda de seus clientes diante dos políticos. O sucesso dos esforços dos lobistas depende em grande parte da força de seu relacionamento com funcionários do governo; quanto mais podem os lobistas se dar ao luxo de abastecer políticos com mordomias que vão de férias extravagantes a oportunidades únicas de carreira, mais forte seu relacionamento com os que procuram influenciar.

---

* Ou "diretorias cruzadas". (N. do T.)

Em suma, a indústria da carne pode influenciar em seu benefício o trabalho legislativo, o que representa um grande custo para nós. Pense, por exemplo, como a lei requer que as indústrias pecuaristas limpem pelo menos parte da sujeira que fazem após descarregar seu lixo – sem no entanto estipular que essas corporações multibilionárias cubram as despesas de sua própria limpeza. O Environmental Quality Incentives Program – EQIP [Programa de Incentivos à Qualidade do Meio Ambiente], um programa federal ostensivamente criado para ajudar a melhorar a qualidade do meio ambiente e as práticas ambientais das propriedades rurais e dos responsáveis por elas, subsidia a limpeza. O EQIP distribuiu 9 bilhões de dólares para ajudar as corporações agropecuárias a tornar inofensivo o lixo descarregado por elas.[76] Em outras palavras, ajudamos a pagar a conta do prejuízo causado por corporações como a ConAgra, cujo CEO ganhou 10,8 milhões de dólares no ano fiscal de 2007.[77] Os subsídios para os pecuaristas têm sido criticados por gente situada em diferentes pontos do espectro político como um dos mais agressivos programas de bem-estar empresarial da história dos Estados Unidos.

Considere também como o Departamento de Agricultura administrou de forma grosseiramente má a ameaça à saúde pública da mortal *E. coli*, em 2002. Crianças que tinham comido hambúrgueres contaminados acabaram infectadas com a bactéria. Os sintomas da infeção pela *E. coli* incluem febre, vômitos, sangue nas fezes, manchas roxas, sangramento pelo nariz e pela boca, inchaço do rosto e das mãos, pressão alta e, finalmente, insuficiência renal. Ao que parece, tanto a ConAgra – a empresa que havia comercializado a carne – quanto o Departamento de Agricultura tinham conhecimento de que a carne estava contaminada, mas ficaram dois anos sem tomar qualquer providência, até que um surto agressivo forçou o recolhimento de quase 9 milhões de quilos de carne que já haviam sido lançados no suprimento alimentar da nação.[78]

Se o seu filho fosse um dos que ficaram doentes por comer carne bovina contaminada, talvez você quisesse alertar outras pessoas sobre os riscos da carne. E esse curso de ação poderia ser eficiente

– desde que você não cometesse o erro de Oprah Winfrey e atingisse gente demais com uma só tacada. Em 1996, Winfrey foi alvo de uma ação indenizatória de mais de 10 milhões de dólares promovida por um grupo de produtores de carne do Texas por calúnias contra a carne de vaca. No auge do alarme da vaca louca na Grã-Bretanha, quando já tinham morrido vinte pessoas por comer o que se acreditava ser carne contaminada, Winfrey afirmou, no ar, que não comeria mais nenhum hambúrguer. Sob as "leis de calúnia contra os alimentos", uma legislação que antecedia o processo contra Winfrey e fora patrocinada por corporações agropecuárias, é *ilegal* criticar certos alimentos sem apresentar uma prova científica "razoável". Podemos acreditar então que, quando se trata de falar sobre a indústria da carne, algumas restrições podem se aplicar – incidindo muito particularmente sobre os direitos de nossa Primeira Emenda.

Depois que a indústria agropecuária se tornou tão poderosa a ponto de ficar não só acima da lei, mas também do direito – moldando a legislação em vez de respeitá-la – podemos com certeza dizer que nossa democracia se tornou uma carnocracia.

O Ministério da Saúde Adverte: Comer Produtos de Origem Animal Pode Ser Perigoso para sua Saúde

Ao entrar na sua loja de conveniência local e comprar um maço de cigarros, você repara que ele traz um rótulo advertindo sobre os perigos potenciais da fumaça de cigarro. Contudo, pesquisas sugerem que a fumaça de cigarro só traz risco para fumantes moderados a pesados, o que compreende menos de 1% da população adulta. Mais de 97% dos adultos americanos, no entanto, comem alimentos de origem animal e, apesar de muitas pesquisas demonstrarem a conexão entre doenças e o consumo de produtos de origem animal, não somos advertidos desses perigos.

A grande maioria, talvez 80% a 90% de todos os cânceres, doenças cardiovasculares e outras formas de doenças degenerativas podem ser evitadas, pelo menos até uma idade bem avançada, pela simples adoção de uma dieta baseada em verduras [vegetariana].

– T. Colin Campbell, professor emérito, com diplomas de doutorado e mestrado, de bioquímica nutricional da Universidade de Cornell e autor do best-seller The China Study, *o mais abrangente estudo sobre saúde e nutrição realizado até o presente.*

Mas vamos imaginar que você entre nessa mesma loja de conveniência para comprar um cachorro-quente. E imagine agora que o Departamento de Saúde Pública dos Estados Unidos tenha reexaminado estudos da Escola de Saúde Pública de Harvard e de outras importantes instituições de pesquisa e julgado conveniente incluir um rótulo de advertência em alimentos de origem animal. O rótulo poderia dizer algo do tipo:

> **O Ministério da Saúde Adverte:** Comer Carne Pode Aumentar em 50% o Risco de Morrer de Doenças Cardíacas.[79] **O Ministério da Saúde Adverte:** Comer Carne Pode Aumentar em 300% o Risco de Desenvolver Câncer Colorretal e Elevar Significativamente o Risco de Desenvolver Alguns Outros Tipos de Câncer.[80] **O Ministério da Saúde Adverte:** O Consumo Diário de Carne Pode Triplicar o Risco de Hipertrofia da Próstata e o Consumo Regular de Leite Duplica esse Risco.[81] **O Ministério da Saúde Adverte:** O Animal que se Converteu na Carne que Você Consome Pode Ter Sido Alimentado com Gatos e Cães Sacrificados, com Penas, Cascos, Pelo, Couro, Sangue e Intestinos Reciclados, com Animais Atropelados, com Esterco Animal, com "Pellets" Plásticos Colhidos do Estômago de Vacas Mortas e com Carcaças de Animais de sua Própria Espécie. **O Ministério da Saúde Adverte:** Este Produto Pode Conter Níveis Perigosos de Pesticidas, Arsênico, Antibióticos e Hormônios. **O Ministério da Saúde Adverte:** Este Produto Pode Conter Organismos Microbianos que Podem Levar à Enfermidade ou à Morte. **O Ministério da**

Saúde Adverte: A Produção deste Alimento Contribuiu para Séria Degradação Ambiental, Crueldade para com os Animais e Violações dos Direitos Humanos. **O Ministério da Saúde Adverte:** Há Merda na sua Carne.

Mas, é claro, a carne e outros derivados não vêm com essas advertências, apesar do fato de esses alimentos serem consumidos numa base regular por centenas de milhões de pessoas. Ideologias violentas seguem sua própria lógica, aquela que sustenta o sistema – uma lógica emaranhada que se revela quando é, ela própria, rotulada.

Como já discutimos, a característica mais notável de todas as ideologias violentas é a invisibilidade, tanto simbólica (ao não ser nomeada) quanto literal (ao manter a violência fora de vista). Tentei, portanto, iluminar os aspectos ocultos do carnismo, para que possamos compreender a verdade sobre a produção de alimentos de origem animal e entender por que o sistema trabalha tão ativamente para permanecer invisível.

A invisibilidade, porém, só pode nos proteger até certo ponto. Indícios da verdade nos cercam: hambúrgueres vegetarianos "sem-crueldade" na padaria; a nervura flexível na coxinha que, de repente, nos faz lembrar de uma galinha viva; imagens de frigoríficos que vez por outra são notícia; convidados vegetarianos em jantares; leitões mortos pendurados nas vitrines dos mercados em Chinatown; o porco num espeto no churrasco da companhia e um suprimento interminável de animais mortos sob a forma de carne. Assim, quando a invisibilidade inevitavelmente fraqueja, precisamos de um substituto, algo que nos proteja da verdade e nos ajude a recuperar rapidamente o equilíbrio ou, de repente, poderíamos começar a compreender a realidade perturbadora do carnismo. Temos de substituir a *realidade* da carne pela *mitologia* da carne.

Capítulo 5

A Mitologia da Carne: Justificando o Carnismo

Se acreditamos em absurdos, cometeremos atrocidades.
– Voltaire

Respeito acrítico pela autoridade é o maior inimigo da verdade.
– Albert Einstein

É uma tarde ensolarada e a exposição de bichos na frente do minimercado local atraiu a multidão habitual. Crianças se comprimem com os pais contra a cerca de madeira, algumas se debruçando com os braços estendidos. Pego uma das cenouras que trouxe para a ocasião e ofereço-a a um porquinho, esperando convencê-lo a se aproximar para que eu possa lhe fazer carinho. Por alguma razão, sinto sempre o impulso de me conectar fisicamente com os animais. Parece quase instintivo, o desejo de tocá-los, de acarinhá-los.

E não estou sozinha. Observo como crianças de olhos arregalados dão gritos estridentes de satisfação quando um porquinho aceita uma de suas oferendas e elas têm a chance de fazer um rápido afago no focinho ou na cabeça dele. Vejo os adultos rirem carinhosamente quando o filhote, desinibido, devora a comida, sem se deixar perturbar pelas mãozinhas ávidas ao seu redor. Reparo na atenção que uma vaca solitária está recebendo, sendo chamada de todos os lados. Quando ela escolhe, por nenhuma razão aparente, meu punhado de capim, fico comovida. Acaricio seu nariz aveludado enquanto outros se agrupam ao meu redor para tocar sua cabeça e pescoço.

Mesmo os frangos provocam interesse e diversão. Crianças ficam de cócoras para atirar miolo de pão pelas aberturas da cerca. Abrem a boca e sorriem enquanto as aves ciscam no chão, fazendo de vez em quando uma pausa com a cabeça empinada para observar as pessoas. Não é de admirar que os espectadores comentem como os pintinhos, cheios de penugem, são adoráveis, piando e saltitando sem objetivo aparente.

É um quadro a ser contemplado. As crianças dão risadinhas e batem palmas, as mães e os pais sorriem afetuosamente e todos parecem determinados a tocar e serem tocados pelos porcos, vacas e frangos. Essas pessoas, contudo, que se sentem tão profundamente compelidas a fazer contato com os animais e que, quando crianças, podem ter chorado ao ler *A Menina e o Porquinho* e adormecido abraçando seus porcos ou bezerros de pelúcia – essas mesmas pessoas logo sairão do minimercado com sacolas contendo carne de vaca, presunto e frango. Essas pessoas, que sem a menor dúvida correriam para ajudar um dos animais do quintal se ele estivesse sofrendo, não se sentem, por alguma razão, *revoltadas* pelo fato de 10 bilhões deles estarem sofrendo desnecessariamente a cada ano, dentro dos muros de uma indústria que dispensamos inteiramente da necessidade de prestar contas por suas ações.

Para onde foi nossa empatia?

Os Três Ns da Justificativa

Para consumir a carne das mesmas espécies que havíamos acariciado minutos antes, temos de acreditar tão integralmente na justeza de comer animais a ponto de sermos privados da consciência do que estamos fazendo. Para esse fim, nos ensinam a aceitar uma série de mitos que sustentam o sistema carnista e a ignorar as incoerências nas histórias que contamos a nós mesmos. Ideologias violentas apoiam-se na promoção da ficção como fato e desencorajam qualquer pensamento crítico que ameace desmascarar essa verdade.

Há uma enorme mitologia em torno da carne, mas todos os mitos estão, de um modo ou de outro, relacionados ao que me referi como os Três Ns da Justificativa: comer carne é *normal, natural* e *necessário*. Os Três Ns têm sido invocados para justificar todos os sistemas exploradores, da escravidão africana ao holocausto nazista. Quando uma ideologia está em seu início, esses mitos raramente são submetidos a exame. Contudo, quando o sistema finalmente desmorona, os Três Ns são reconhecidos como absurdos. Pense, por exemplo, nas seguintes justificativas de ser negado às mulheres o direito de voto nos Estados Unidos: o voto apenas masculino fora "definido por nossos antepassados"; se as mulheres passassem a votar, isso "causaria dano irreparável... ao Estado" e "o desastre e a ruína cairiam sobre a nação".

Os Três Ns estão de tal forma entranhados em nossa consciência social que guiam nossas ações sem jamais termos de pensar sobre eles. Eles pensam por nós. Nós os interiorizamos tão plenamente que costumamos viver de acordo com seus princípios, como se eles fossem verdades universais, em vez de opiniões muito difundidas. É como dirigir um carro – depois de aprender a fazê-lo, você não precisa mais pensar em cada ação. Mas essas justificativas fazem mais do que apenas conduzir nossas ações. Elas aliviam o desconforto moral que de outro modo poderíamos sentir quando comêssemos carne; se temos uma boa desculpa para nossos comportamentos, sentimo-nos menos culpados acerca deles. Os Três Ns agem essencialmente como vendas mentais e emocionais, mascarando as discrepâncias em nossas crenças e comportamentos com relação aos animais e justificando-os, se por acaso os percebermos.

Conheça os Criadores de Mito

Apesar das falsidades que tecem nossa rede de segurança psicológica e emocional, suprimir a verdade consome energia. Custa um esforço contínuo ficar cego ao que está bem na nossa frente, permanecer desatento a incoerências flagrantes e impedir que nossos autênticos sentimentos venham à superfície. Assim, embora tenhamos nos tornado peritos em ignorar a parte de nós que conhece a verdade, devemos ser continuamente treinados para manter a desconexão entre nossa consciência e nossa empatia.

Entram em cena os criadores de mitos. Os criadores de mitos ocupam todos os setores da sociedade, garantindo que, não importa para onde nos viremos, a informação recebida por nós reforce os Três Ns. Os criadores de mitos são as instituições que constituem os pilares do sistema e as pessoas que as representam. Quando está arraigado, um sistema é respaldado por todas as instituições importantes da sociedade, da medicina à educação; muito possivelmente seus médicos e professores não o encorajaram a questionar se a carne é normal, natural e necessária. Nem seus pais, o ministro da sua igreja ou as autoridades eleitas. Quem melhor para nos influenciar que as instituições vigentes e os profissionais em quem aprendemos a depositar nossa confiança? Quem melhor para nos convencer que aqueles em posições de autoridade?

De fato os profissionais desempenham um papel-chave na sustentação de ideologias violentas. Um dos modos de fazerem isso é pela moldagem dos dogmas da ideologia. No caso do carnismo, os profissionais, com suas políticas e recomendações – e seus próprios comportamentos, forjam atitudes e práticas com relação aos animais. Pense, por exemplo, no endosso da American Veterinary Medical Association – AVMA [Associação Médico-Veterinária Americana] – a "voz da comunidade veterinária" – às baias de gestação, boxes de 60 centímetros de largura em que as porcas ficam confinadas durante a gravidez. Como mencionei no Capítulo 3, esses recintos são considerados tão desumanos que foram proibidos numa série de países e estados, e até mesmo empresas como o McDonald's se opõem a eles. Pense, também, que muitos veterinários comem e usam roupas e calçados feitos com matéria-prima animal.

Os profissionais também forjam os dogmas do carnismo agindo como "as vozes da razão" ou "moderados racionais"[82] no debate sobre como os animais devem ser tratados. Essas pessoas foram chamadas de "críticos ponderados"[83] porque emprestam credibilidade ao sistema, dando suporte ao conjunto da ideologia enquanto se opõem a algumas de suas práticas. A atitude moderada e racional de profissionais faz os que desafiam o sistema parecerem, por contraste, "extremistas irracionais". Um exemplo comum de moderados racionais são os veterinários que se opõem a certas práticas de confinamento, mas comem carne regularmente.

Outro meio de os profissionais ajudarem a sustentar uma ideologia violenta é atribuir um caráter patológico ou distorcido aos que não a apoiam, como acontece com psicólogos que presumem que a recusa de uma jovem a comer carne é sintoma de um distúrbio alimentar ou como os médicos que advertem sobre os perigos de uma dieta isenta de carne, apesar de tantas evidências em contrário. Contudo, embora o suporte profissional seja essencial para a manutenção do carnismo, os profissionais em geral não apoiam conscientemente a ideologia. Profissionais são simplesmente pessoas fazendo seu trabalho; são pessoas que foram criadas dentro do sistema e, portanto, como o restante de nós, veem o mundo através das lentes do carnismo.

Mas nem todos os criadores de mitos contam suas histórias de modo inconsciente. Outros grupos de criadores de mitos, os agronegócios e seus executivos, sustentam ativamente os mitos da carne, influenciando instituições e profissionais que, por sua vez, exercem um forte efeito sobre a política e a opinião pública. Pense, por exemplo, na parceria entre a American Dietetic Association – ADA [Associação Nutricionista Americana] e o National Dairy Council [Conselho Nacional de Laticínios]. A ADA é a principal organização de nutricionistas do país e é também o órgão governamental que supervisiona o credenciamento de universidades que oferecem cursos de nutrição; é exigido que todos os nutricionistas registrados tenham se graduado numa instituição credenciada pela ADA. O National Dairy Council é um dos principais "patrocinadores corporativos" da ADA. Segundo a ADA, seu Programa de Patrocínio Corporativo ajuda as empresas a ter "acesso a formadores de opinião e a pessoas que lideram a criação de conceitos e a tomada de decisões no mercado da alimentação e da nutrição". E, diz a ADA, o patrocinador "pode alavancar benefícios para atingir objetivos de marketing... conseguir acesso a líderes de alimentação e nutrição que influenciam e tomam decisões cruciais de compra... [e] constroem a relevância das marcas junto ao extremamente cobiçado público-alvo [da ADA]".[84] Em outras palavras, detentores de poder institucional, como o National Dairy Council, "patrocinam" instituições profissionais como a ADA – o que pode ajudar a explicar, por exemplo, a recomendação oficial de um consumo diário de três xícaras de leite, apesar das evidências relacionando o consumo de laticínios a um risco maior de doenças cardiovasculares, de vários tipos de câncer e de diabetes.

Contudo, embora os criadores de mitos distorçam a verdade, sua função básica reside não em criar mitos, mas em garantir que os existentes continuem a prosperar. Eles funcionam, então, em grande parte como *canais* dos mitos. Muitos de nossos mitos relativos à carne foram herdados, transmitidos de geração a geração; como os sistemas são maiores que a soma de suas partes, eles não morrem uma morte natural, mas sobrevivem indefinidamente. Sistemas são como colmeias: embora cada abelha morra, o enxame persiste. Os criadores de mitos, portanto, reciclam os mitos da carne, alterando-os, quando necessário, para ajustá-los à tendência do momento.

Questionando a Autoridade

O estudo hoje clássico de Stanley Milgram sobre a obediência à autoridade demonstra como somos vulneráveis a figuras de autoridade. No início dos anos 1960, Milgram recrutou quarenta indivíduos do sexo masculino e lhes disse que eles agiriam como "instrutores" num experimento sobre os efeitos da punição no aprendizado. Ao chegar, cada indivíduo era colocado em dupla com outro, um "aprendiz". Sem que os instrutores soubessem, os aprendizes eram na verdade cúmplices de Milgram. A dupla era levada a uma sala onde prendiam o aprendiz numa cadeira e o ligavam ao que pareciam ser eletrodos. Diziam aos homens que o instrutor ia gritar pares de palavras para o aprendiz decorar e, se este não os decorasse corretamente, levaria um choque do instrutor. A cada erro subsequente, o choque aumentaria de intensidade. O instrutor era levado para outra sala, que tinha um console elétrico supostamente conectado aos eletrodos do aprendiz. No console, as voltagens do choque iam de 15 a 450 e, ao lado da voltagem mais alta, havia uma inscrição dizendo: "Perigo – Choque Severo".

Nos estágios iniciais do experimento, o aprendiz recordava os pares de palavras com precisão. Mas, depois de um tempo, começava a cometer erros. Aos primeiros choques, o aprendiz gemia e proferia sons de desconforto. Aos 150 volts, o aprendiz se queixava de que estava sentindo dor e insistia para ser dispensado do experimento. Aos 285 volts, o aprendiz gritava de dor. Durante todo esse tempo, Milgram estava orientando o instrutor a continuar. E a maioria dos instrutores o fez – um incrível total de 34 dos quarenta indivíduos deram choques no aprendiz mesmo após ele ter pedido para ser solto, e 26 entre os 34 continuaram a dar choques cada vez maiores até chegar aos 450 volts. Os instrutores estavam nitidamente angustiados, suando, segurando a cabeça, se queixando – e no entanto continuavam. Milgram repetiu muitas vezes o experimento, com grupos diferentes e em contextos diversos, e em todas as vezes os resultados foram os mesmos. Ele concluiu que *a obediência à autoridade prevalece sobre a consciência da pessoa.*

A conclusão de Milgram é assustadora, mas não causa surpresa. A história está repleta de exemplos de atrocidades que vão de guerras injustas a genocídios, todas possibilitadas por milhões de pessoas que seguiam os comandos de seus líderes, pessoas cuja consciência tinha sido desativada pelos que estavam em posições de autoridade.

Milgram descobriu, no entanto, que há dois fatores atenuantes na obediência de uma pessoa à autoridade: a capacidade de questionar a legitimidade da figura de autoridade e a distância que se tem dessa figura. Por exemplo, quando Milgram mandou um "homem comum" (um homem que não parecia ser um pesquisador) dar os comandos para administrar os choques, a obediência caiu em dois terços; os indivíduos viram o pesquisador mais como um igual que como uma autoridade. E quando o pesquisador não estava na sala com o instrutor, a obediência também caía em dois terços; os instrutores trapaceavam.

Milgram acredita que agimos contra nossa consciência porque quando uma ordem vem de alguém que nos parece ser uma autoridade legítima, não nos vemos como plenamente responsáveis por nossas ações. E quanto mais essa pessoa está próxima de nós – seja um médico nos dando conselhos alimentares ou uma celebridade no aparelho de TV de nossa sala de estar nos dizendo que o "leite torna um corpo saudável" – mais provavelmente sua autoridade vai se sobrepor à nossa. Até aprendermos a questionar a autoridade externa e a reconhecer nossa própria autoridade interna, seguiremos as normas dos que mantêm o *status quo*.

O Selo Oficial de Aprovação: Legitimação

O processo de destruição [nazista] requereu a cooperação de todos os setores da sociedade alemã. Os burocratas elaboraram as definições e as normas; as igrejas proporcionaram a prova da descendência ariana; as autoridades postais transportaram as mensagens de deportação; as corporações empresariais demitiram os funcionários judeus e tomaram conta de... propriedades; as estradas de ferro transportaram as vítimas para os locais de execução... A operação exigiu e obteve a participação de todas as principais instituições sociais, políticas e religiosas do Reich alemão.

– Richard Rubenstein, teólogo

O objetivo prático dos mitos é *legitimar* o sistema. Quando uma ideologia é legitimada, seus princípios são sancionados por todas as instituições sociais e os Três Ns são difundidos através de todos os canais sociais. Agir de acordo com a ideologia é coisa legal e é considerado razoável e ético. Consequentemente, os princípios de ideologias concorrentes são encarados como *i*legítimos, razão pela qual, por exemplo, os vegetarianos não podem processar os proprietários de agronegócios pela matança de animais.

Embora todas as instituições ajudem a legitimar a ideologia, duas em particular desempenham um papel crítico: o sistema legal e a mídia jornalística. Converter em lei os princípios de uma ideologia impõe uma conformidade ao sistema. Pense, por exemplo, em como a condição legal dos animais assegura a produção contínua de carne. Sob a lei norte-americana, pode existir uma *pessoa* legal ou uma *propriedade* legal. Uma pessoa legal faz jus a direitos básicos, mais especialmente ao direito de viver sem ser violentada fisicamente por outra. A propriedade legal, ao contrário, não tem direitos; só a pessoa legal que possui a propriedade tem direitos, razão pela qual, por exemplo, podemos processar alguém que causa dano ao nosso carro, mas o carro em si não pode acionar ninguém. Hoje, todos os seres humanos são pessoas legais (embora originalmente a constituição classificasse os escravos como três quintos pessoa, dois quintos propriedade) e todos os animais são propriedade legal – e as pessoas-proprietárias têm o direito de fazer o que quiserem com sua propriedade privada, com poucas exceções. Assim, os animais são comprados e vendidos, comidos e utilizados – seus corpos são empregados numa variedade tão grande de produtos que é praticamente impossível não ficar de acordo com o sistema. Subprodutos animais podem ser encontrados em bens tão surpreendentes quanto bolas de tênis, papel de parede, fitas adesivas e filmes.

A mídia jornalística, nossa principal fonte de informação, dá suporte ao carnismo ao agir como canal direto entre a ideologia e o consumidor. Quando se trata do carnismo, a mídia deixa de desafiar o sistema e sustenta as defesas carnistas: ela mantém a invisibilidade do sistema e reforça as justificativas para comermos carne.

Um dos modos pelo qual a mídia mantém a invisibilidade carnista é por meio da *omissão*. Os 10 bilhões de animais que são mortos todo ano para servir de comida e as consequências nefastas das práticas pecuaristas contemporâneas continuam nitidamente ausentes do discurso público. Com que frequência vemos a mídia denunciando o tratamento violento dos animais de criação e as práticas corruptas da indústria carnista? Comparemos isso com a extensão da cobertura concedida à flutuação dos preços da gasolina ou aos disparates da moda em Hollywood. A maioria das pessoas se sente mais indignada por ter de pagar um centavo a mais por litro de gasolina do que com o fato de bilhões de animais, milhões de seres humanos e todo o ecossistema serem sistematicamente espoliados por uma indústria que lucra com toda essa violência gratuita. E a maioria das pessoas sabe mais sobre o que as estrelas usam na festa do Oscar do que sobre os animais que come.

A mídia também mantém a invisibilidade do sistema por meio da *proibição*, impedindo ativamente que a informação anticarnista chegue aos consumidores. Por exemplo, em 2004 a CBS recusou 2 milhões de dólares do grupo de direito animal People for the Ethical Treatment of Animals – PETA [Pessoas pelo Tratamento Ético dos Animais], que pretendia veicular uma mensagem anticarnista durante o Super Bowl. A rede alegou que a estação não divulgava "mensagens ativistas". A CBS, no entanto, transmitiu uma mensagem antifumo durante o jogo e a estação leva regularmente ao ar comerciais que promovem o consumo de carne.

Às vezes, contudo, a produção de carne chega realmente a conseguir a atenção da mídia. Mas quando isso acontece, o problema geralmente é apresentado como se fosse uma aberração, não a norma. Por exemplo, na reportagem sobre um frigorífico em que animais caídos tinham sido processados e incluídos na carne da merenda escolar, fato que discutimos no Capítulo 3, não houve menção de que a instalação fora escolhida *por acaso* pelos investigadores da Humane Society of the United States, nem houve discussão da possibilidade de se tratar de uma prática comum entre as corporações carnistas. Assim, a revolta do público foi direcionada contra uma determinada empresa e o sistema em si continuou intocado.

Na verdade, o sistema permanece intocado sempre que a mídia apresenta os dogmas do carnismo como fato, não como ponto de vista, e os defensores do carnismo como portadores da verdade objetiva em vez de criadores de mito tendenciosos. Matérias da grande mídia, por exemplo, apresentam regularmente segmentos sobre como celebrar as datas festivas que estão organizadas em torno do consumo de carne, explicando como preparar um tradicional peru no Dia de Ação de Graças ou receber os amigos para um churrasco ao ar livre no Quatro de Julho. E os médicos e nutricionistas que aparecem na mídia praticamente sempre defendem o carnismo, adotando com frequência uma postura "moderada e sensata" ao recomendar, por exemplo, que os espectadores substituam carnes gordas por carnes mais magras.

A mídia jornalística coloca o carnismo na soleira de nossa porta ao nos informar não apenas do "modo como são as coisas", mas também do modo como as coisas devem ser, estão destinadas a ser e têm de ser. Em outras palavras, a mídia jornalística traz para nossa casa os Três Ns.

Comer Carne é Normal

O costume conciliará as pessoas com qualquer atrocidade.
– *George Bernard Shaw*

Quando encaramos os princípios de uma ideologia como o normal, isso significa que a ideologia adquiriu um caráter *normativo* e seus princípios viraram *normas sociais*. Normas sociais não são meramente descritivas (mostrando como a maioria das pessoas se comporta), são também prescritivas, ditando como *devemos* nos comportar. Normas são socialmente construídas. Não são inatas e não vêm de Deus (embora possam ter ensinado coisa diferente a alguns de nós); são criadas e sustentadas por pessoas, servindo para nos manter em linha para que o sistema permaneça intacto.

As normas nos mantêm em linha mostrando os caminhos que devemos seguir e nos ensinando como devemos ser para nos ajustar a eles. O caminho da norma é o caminho do menor esforço; é a rota que tomamos quando estamos no piloto automático e não percebemos sequer que estamos seguindo um curso de ação que não escolhemos de maneira consciente. A maioria das pessoas que comem carne não faz ideia de que estão se comportando de acordo com os dogmas de um sistema que tem definido grande parte de seus valores, preferências e comportamentos. O que chamam de "livre escolha" é, de fato, o resultado de um conjunto estreitamente construído de opções que foram escolhidas para elas. Não percebem, por exemplo, que lhes ensinaram a pôr a vida humana tão acima de certas formas de vida não humana que parece adequado que suas preferências de gosto suplantem a preferência de outras espécies pela sobrevivência. E ao moldarem o caminho do menor esforço, as normas obscurecem caminhos alternativos e fazem parecer que não existem outros caminhos; como mencionei no Capítulo 2, comer carne é considerado um dado, não uma escolha.

Outro meio de as normas nos manterem em linha é pela recompensa ao conformismo e pela punição se nos desviamos do curso. Em termos práticos e sociais, é realmente muito mais fácil comer carne do que não comer. A carne está imediatamente disponível, enquanto as alternativas não carnívoras têm de ser ativamente procuradas e podem ser difíceis de encontrar. Por exemplo, muitos restaurantes continuam sem opções vegetarianas em seu cardápio e comida vegetariana-padrão, como feijão e arroz, é frequentemente preparada com toucinho e caldo de galinha. E os vegetarianos se veem com frequência tendo de explicar suas opções, defender sua dieta e se desculpar por estarem causando inconvenientes a outros. São estereotipados como *hippies*, como portadores de um distúrbio alimentar e às vezes como anti-humanos. São chamados de hipócritas se usam couro, puristas ou extremistas se não o fazem. Têm de viver num mundo onde são continuamente bombardeados por imagens e atitudes que ofendem o que sua sensibilidade tem de mais profundo. É de longe mais fácil adaptar-se à maioria carnista que fugir do caminho do menor esforço.

As normas se refletem no comportamento cotidiano, assim como em costumes e tradições. Quando um comportamento é costumeiro ou tradicional, sua longevidade e função na manutenção do sistema tornam seu questionamento menos provável e sua justificativa muito mais fácil. Por exemplo, para muita gente o Dia de Ação de Graças simplesmente não seria o Dia de Ação de Graças sem um peru na mesa; raramente a escolha da comida de um dia de festa é questionada.

Comer Carne É Natural

[O nazismo], ao contrário de qualquer outra filosofia política ou programa partidário, está de acordo com a história natural e a biologia do homem.

– Rudolf Ramm, perito médico nazista

A maioria das pessoas acredita que comer carne é natural porque há milênios os seres humanos têm caçado e consumido animais. E é verdade que consumimos carne, como parte de uma dieta onívora, há pelo menos dois milhões de anos (embora na maioria desse tempo nossa dieta ainda fosse basicamente vegetariana). Para sermos justos, temos de reconhecer que o infanticídio, o homicídio, o estupro e o canibalismo são pelo menos tão antigos quanto a ingestão de carne e seriam, portanto, supostamente não menos "naturais" – e no entanto não invocamos a história desses atos como uma justificativa para eles. Como acontece com outros atos de violência, quando se trata de comer carne, devemos estabelecer a diferença entre *natural* e *justificável*.

O modo como "natural" se traduz em "justificável" se dá por meio do processo de *naturalização*. A naturalização é para o natural o que o normativo é para o normal. Quando uma ideologia é naturalizada, acredita-se que seus princípios estejam de acordo com as leis da natureza (e/ou a lei de Deus, dependendo de o sistema de crenças da pessoa estar baseado na ciência, na fé ou em ambas). A naturalização reflete uma crença no modo como as coisas estão *destinadas* a ser; comer carne é visto como simplesmente seguir a ordem natural das coisas. A naturalização sustenta uma ideologia fornecendo-lhe uma base (bio)lógica.

Como as normas, muitos comportamentos naturalizados são construídos e não deveríamos nos surpreender com o fato de serem construídos por aqueles que se colocam no topo da "hierarquia natural". A crença na superioridade biológica de certos grupos tem sido usada há séculos para justificar a violência: os africanos eram "naturalmente" adequados à escravidão; os judeus eram "naturalmente" maus e destruiriam a Alemanha se não fossem erradicados; as mulheres estavam "naturalmente" destinadas a serem propriedade dos homens; os animais existem "naturalmente" para serem comidos pelos humanos. Considere, por exemplo, como nos referimos aos animais que comemos, como se a natureza os destinasse exatamente para esse fim: nós os chamamos "gado de corte" (em vez de "animais de criação"), "frangos de corte", "vacas leiteiras", "galinhas poedeiras" e "pernis de vitela". Mesmo o grande lógico Aristóteles invocou a biologia e fez a lógica se ajustar às normas de sua época ao declarar que os machos eram naturalmente superiores às fêmeas e que os escravos estavam biologicamente destinados a servir a homens livres. E pense numa das justificativas centrais do carnismo, a ordem natural da chamada cadeia alimentar. Os seres humanos se encontram supostamente no "topo" da cadeia alimentar – e no entanto uma cadeia não tem, por definição, um topo e, se tivesse, ele seria habitado por carnívoros, não por onívoros.

As disciplinas básicas que dão suporte à naturalização são a história, a religião e a ciência. A história nos brinda com um foco histórico seletivo e "fatos" que provam que a ideologia sempre existiu. A lente histórica *eterniza* a ideologia, fazendo parecer que ela mostra como as coisas sempre foram e, portanto, sempre serão. A religião defende a ideologia como fruto de ordenação divina e a ciência provê a ideologia de uma base biológica. A importância da religião e da ciência para naturalizar uma ideologia ajuda a explicar por que a espiritualidade e a inteligência têm sido critérios populares pelos quais um grupo se define como naturalmente superior. Por exemplo, antes do experimento com animais se tornar uma prática científica comum, o matemático e filósofo René Descartes pregou as patas do cachorro da esposa numa tábua para dissecá-lo vivo e provar que, ao contrário dos humanos, mas como outros animais, o cachorro era uma "máquina" sem alma, cujos gritos de dor não se diferenciavam das molas e engrenagens de um relógio reagindo automaticamente ao ser desmontado. E Charles Darwin argumentava que, como os machos tinham supostamente nascido com maior capacidade de raciocínio que as fêmeas, os homens, no transcurso da evolução, se tornaram superiores às mulheres. Em suma, a naturalização torna a ideologia histórica, divina e biologicamente irrefutável.

Comer Carne É Necessário

Nós, do Sul, não renunciaremos, não podemos renunciar às nossas instituições.

Manter as relações existentes entre as duas raças [brancos e negros]... é indispensável à paz e à felicidade de ambas.

– John C. Calhoun, ex-vice-presidente dos Estados Unidos

A crença de que comer carne é necessário está intimamente relacionada à crença de que comer carne é natural; se comer carne é um imperativo biológico, trata-se então de uma necessidade para a sobrevivência da espécie (humana). E, como acontece com todas as ideologias violentas, essa crença reflete o paradoxo central do sistema: matar é necessário para o bem maior; a sobrevivência de um grupo depende da morte de outro.[85] A crença de que comer carne é necessário faz o sistema parecer inevitável – se não podemos existir sem carne, abolir o carnismo equivale a um suicídio. Embora saibamos que é possível sobreviver sem comer carne, o sistema procede como se o mito fosse verdadeiro; é uma pressuposição implícita que só costuma vir à tona quando é desafiada.

Um mito relacionado é que a carne é necessária para a nossa saúde. Também esse mito persiste diante da esmagadora evidência em contrário. Na realidade, a pesquisa sugere que comer carne é prejudicial à saúde, visto que o consumo de carne tem sido associado ao desenvolvimento de algumas das principais enfermidades do moderno mundo industrializado.

O Mito da Proteína

Mas de onde você tira sua proteína?

Essa é com frequência a primeira reação que um vegetariano enfrenta depois de revelar sua orientação alimentar. De fato a pergunta é tão comum que se tornou piada corrente entre vegetarianos de um extremo a outro da nação. Uso o termo "piada" porque a pergunta reflete um dos mais comuns e fantasiosos mitos (se não o mais comum e fantasioso deles) acerca do carnismo: o mito de que a carne é uma fonte necessária de proteína. Os vegetarianos se referem a essa ideia equivocada como o Mito da Proteína.

O medo de sofrer de uma carência de proteínas é particularmente comum entre os homens, visto que a proteína (animal) tem sido tradicionalmente associada ao desenvolvimento da musculatura e da força. A carne tem sido há longo tempo um símbolo de masculinidade, pois representa vigor, força e virilidade; inversamente, os alimentos baseados em verduras têm sido feminilizados, com frequência representando passividade e fraqueza (pense no significado das expressões "ser um banana" e "vegetar"). Há um acervo cada vez maior de literatura examinando como a masculinidade tem sido construída em grande parte (e em detrimento dos indivíduos e da sociedade) em torno da hegemonia, do controle e da violência. Não deveríamos, então, nos surpreender com o fato de que consumir (e às vezes matar) animais tenha sido um aspecto central da virilidade.[86]

Como outros mitos relativos à carne, o Mito da Proteína existe a despeito de uma substancial evidência em contrário, há muito tempo disseminada. Age para justificar o consumo contínuo de carne e a manutenção do paradigma carnista. Mas é, na verdade, um mito. Aqui está o que os médicos têm a dizer:

> No início do século XX, os americanos foram instruídos a comer bem mais de 100 gramas de proteína por dia. E numa data tão recente quanto os anos 1950, pessoas conscientes com relação à sua saúde foram incentivadas a aumentar a absorção de proteína. Hoje... os americanos tendem a ingerir duas vezes a quantidade de proteína de que precisam... O excesso de proteína tem sido relacionado a osteoporose, doença dos rins, pedras de cálcio no trato urinário e alguns tipos de câncer.
>
> As pessoas formam os músculos e outras proteínas do corpo a partir dos aminoácidos, que vêm das proteínas que elas ingerem. Uma dieta variada de feijões, lentilhas, grãos e vegetais contém todos os aminoácidos essenciais. Antigamente se pensava que diferentes alimentos vegetais tinham de ser comidos juntos para obtermos seu pleno valor proteico, mas a pesquisa atual sugere que não é esse o caso.
>
> Para consumir uma dieta que contenha proteína suficiente, mas não em excesso, [podemos] simplesmente substituir produtos de origem animal por grãos, verduras, legumes (ervilhas, feijões e lentilhas) e frutas. Desde que a pessoa esteja comendo uma variedade de alimentos vegetais em quantidade suficiente para manter o peso, o corpo obtém bastante proteína.[87]

Um mito da necessidade, particularmente impressionante, é a crença de que temos de continuar a comer carne porque, se parássemos agora, o mundo seria dominado por porcos, galinhas e vacas. O que faríamos, nós nos perguntamos, com tantos animais? Evidentemente, se parássemos de comer carne, pararíamos, antes de qualquer coisa, de produzir os animais que se convertem em nossa carne, não correndo portanto o risco de sermos sobrepujados por uma crescente população de animais de criação. E existe um mito dentro desse mito, um paradoxo que está no centro de todas as ideologias violentas – o de que a matança deve continuar para justificar toda a matança já realizada.[88] Depois que o *momentum* da violência chegou a certo ponto, revertê-la parece impossível.

Outro mito da necessidade é que matar é um imperativo econômico. Embora uma motivação econômica *tenha* impulsionado muitas ideologias violentas – a economia do Novo Mundo foi em grande parte sustentada pela escravidão, pela pilhagem de ouro e outros ativos, assim como o trabalho não remunerado das vítimas do nazismo financiava a máquina de guerra alemã – isso não significa que a economia entraria em colapso se a matança cessasse. É muito mais provável que só o *status quo* econômico sucumbisse; a estrutura de poder carnista-empresarial, não a cidadania, sofreria se o carnismo fosse abolido.

Mesmo se a economia dependesse do carnismo, devíamos nos perguntar se essa dependência justificaria a continuação da violência. Para a maioria das pessoas não. A história nos mostra repetidas vezes que, quando as pessoas tomam consciência de ideologias violentas, elas exigem mudanças. É por essa razão que as atrocidades do carnismo devem permanecer ocultas e os mitos do carnismo devem permanecer intactos – temos de acreditar que somos consumidores informados e agentes livres atuando dentro de um sistema democrático, exercendo nosso livre-arbítrio.

O Mito do Livre-Arbítrio

Ideologias violentas requerem participantes dispostos e a maioria dos americanos não gostaria de magoar os animais. Por conseguinte, as pessoas têm de ser coagidas a dar suporte ao sistema. A coação, no entanto, só é eficiente enquanto não é detectada. Temos de acreditar que estamos agindo inteiramente por vontade própria quando compramos e consumimos os corpos de animais; temos de acreditar no Mito do Livre-Arbítrio.

Sem dúvida ninguém está encostando um revólver em nossa cabeça quando comemos carne, mas não é preciso. Desde o momento em que paramos de mamar, começamos a comer animais.

Será que você escolheu livremente comer seus potinhos de comida industrializada nos sabores peru e frango? E quando você ficou maior e comia seu McLanche Feliz? Será que você questionou seus pais, professores e médicos quando eles disseram que a carne o deixava forte? Algum dia você olhou para as almôndegas em seu prato de massa e se perguntou de onde elas realmente vinham? Se você fez isso, as pessoas ao seu redor o incentivaram a preencher a lacuna em sua consciência ou restauraram rapidamente seu entorpecimento, tranquilizando-o acerca das virtudes da carne?

Ao que tudo indica, o padrão pelo qual você tem se relacionado com a carne começou antes de você ter idade suficiente para falar e continuou agindo ininterruptamente durante toda a sua vida. E é nesse fluxo de comportamento ininterrupto que podemos ver como o carnismo elimina o livre-arbítrio. Padrões de pensamento e comportamento, estabelecidos muito antes de sermos capazes de agir como agentes livres, se entrelaçaram à textura de nossa psique, guiando nossas escolhas como uma mão invisível. E se alguma coisa interrompe nosso modo habitual de nos relacionarmos com a carne – se por exemplo vislumbramos algo do processo de abate –, a elaborada rede que constitui a estrutura defensiva do carnismo nos puxa rapidamente para outro lugar. *O carnismo bloqueia as interrupções na consciência.*

É impossível exercer o livre-arbítrio enquanto estivermos operando de dentro do sistema. O livre-arbítrio requer consciência e os padrões de pensamento incrustados, arraigados em nós, são inconscientes; estão fora de nossa consciência e, portanto, fora de nosso controle. Enquanto nos mantivermos no sistema, veremos o mundo através dos olhos do carnismo. E enquanto enxergarmos através de olhos que não são os nossos, estaremos vivendo de acordo com uma verdade cuja aceitação não resultou de uma escolha nossa. Temos de pôr o pé fora do sistema para encontrar nossa empatia perdida e fazer escolhas que reflitam o que verdadeiramente sentimos e aquilo em que acreditamos, em vez daquilo que nos ensinaram a sentir e a ter como verdade.

Capítulo 6

Através do Espelho Carnista: o Carnismo Interiorizado

O maior inimigo do conhecimento não é a ignorância;
é a ilusão do conhecimento.
– *Stephen Hawking*

Imagine se tudo que constitui sua realidade – sua casa, seu trabalho, sua família, sua *vida* – não fosse mais que uma ilusão, uma realidade virtual, fabricada por uma matriz computadorizada a que seu cérebro e o cérebro de todos os outros humanos estivessem plugados. Imagine essa matriz nos usando como baterias; ela extrai nossa energia para manter-se viva e nos mantém complacentes permanecendo invisível, enquanto gera a ilusão de nossa liberdade. Esse é o tema de *Matrix*, um filme que mexeu tão vigorosamente com milhões de espectadores que foi proclamado um clássico moderno. Clássicos alcançam essa condição porque tratam de uma experiência humana essencial. Dão voz a verdades que foram em grande parte indefiníveis e, portanto, não ditas. *Matrix* nos instiga a questionar – a questionar o que vemos e como nos relacionamos com o que vemos. Instiga-nos a sermos curiosos acerca do que pensamos e de por que pensamos desse modo. Morfeu, um personagem importante do filme, explica ao protagonista, Neo:

> A Matrix está em toda parte. Está em toda a nossa volta. Agora mesmo, nesta sala. Você pode vê-la quando olha pela sua janela ou quando liga a televisão. Pode senti-la quando vai para o trabalho... quando vai à igreja... quando paga os impostos. Ela é o mundo que tem sido posto diante de seus olhos para cegá-lo para a verdade... [Ela é] uma prisão para sua mente.

A mente de Neo estava aprisionada por uma matriz, um sistema tão arraigado que efetivamente o despojara da capacidade de pensar por si mesmo. E ao aceitar as ilusões da Matrix como reais, Neo ajudava a legitimar o sistema; era ao mesmo tempo prisioneiro e captor, vítima e perpetrador.

Da mesma maneira, a matriz de carne que é o carnismo nos compele a participar de nossa própria coerção, fazendo o trabalho do sistema: negamos, evitamos e justificamos o carnismo. Quando nossa mente está aprisionada pelo carnismo, vemos o mundo – e a nós mesmos – através dos olhos do sistema. Como resultado, não nos comportamos como realmente somos, mas como o sistema gostaria que fôssemos: somos consumidores passivos em vez de cidadãos ativos. Os mecanismos do sistema ficaram entranhados em nossa consciência. *Interiorizamos* o carnismo.

O Trio Cognitivo

O carnismo distorce a realidade: embora não vejamos os animais que comemos, isso não significa que eles não existam. Embora o sistema não tenha sido nomeado, isso não significa que não seja real. Por mais longe que cheguem e por mais fundo que consigam ir, os mitos da carne não são os fatos da carne.

O carnismo interiorizado distorce nossa *percepção* da realidade: embora os animais sejam seres vivos, nós os percebemos como coisas vivas; embora sejam indivíduos, nós os percebemos como abstrações – como um "punhado" de coisas; e na ausência de quaisquer dados objetivos que possam nos servir de apoio, nós os percebemos como se sua adequação para o consumo humano fosse uma contingência natural de suas espécies. Por exemplo, se a despeito de todos os esforços feitos pelo sistema, vemos por acaso um dos porcos ou porcas que se transformará na carne que vamos comer, não o percebemos como ser senciente ou como alguém com uma personalidade própria e preferências. Em vez disso, percebemos a "porcaria" do porco ou da porca (a sujeira, o desleixo etc.) e sua "comestibilidade". Ao perceber os animais dessa maneira, empregamos três defesas que denomino de Trio Cognitivo.

O Trio Cognitivo é formado por *objetivação, desindividualização* e *dicotomização.* Essas defesas são, na realidade, processos psicológicos normais que se convertem em distorções defensivas quando usados excessivamente, como têm de ser usados para manter o carnismo intacto. E, ao contrário de algumas outras defesas, esses mecanismos são mais interiores e menos conscientes e intencionais; estão menos relacionados com *o que* pensamos do que com o modo *como* pensamos. Cada defesa no Trio Cognitivo tem um efeito singular sobre nossa percepção dos animais. Mas a verdadeira força do trio se encontra em como os três mecanismos trabalham em harmonia um com o outro. Como um trio musical, o todo é maior que a soma de suas partes.

Objetivação: Vendo os Animais como Coisas

Quanto mais você vê esses pedaços de corpo sem nenhuma cabeça em cima, mais você deixa de pensar neles como animais e passa a vê-los como um produto com que está trabalhando.

– Cortador de carne de 31 anos[*]

A objetivação é o processo de encarar um ser vivo como um objeto inanimado, uma coisa. Os animais são objetivados de maneiras muito variadas, talvez mais especialmente por meio da linguagem. Objetivar a linguagem é um poderoso mecanismo de distanciamento. Pense em como os trabalhadores de matadouros se referem aos animais que

[*] As citações selecionadas neste capítulo são de entrevistas que realizei para minha tese de doutorado sobre a psicologia da carne.

vão matar como os objetos em que eles vão se tornar, não como os animais vivos que são: os frangos são chamados de *espetos*, os porcos de *presuntos* e os bois de *bifes*. E o Departamento de Agricultura se refere a vacas como *úberes* e aos animais como *unidades*, enquanto as indústrias frigoríficas falam sobre o *manejo de cabeças* ou em *peças de manejo*. Pense, também, em nosso hábito de usar a expressão *uma coisa viva* e na nossa incapacidade, igualmente habitual, de ver a expressão como um paradoxo. O carnismo precisa que empreguemos essa linguagem objetivada; pense em como você poderia se sentir ao designar, por exemplo, o frango assado na vitrine do restaurante como *essa criatura* em vez de *frango no espeto* ou como se sentiria uma pessoa ao se referir a um peru como um ser humano e não uma coisa.

A objetivação é legitimada não só por meio da linguagem, mas também por intermédio das instituições, da legislação e das políticas públicas. Por exemplo, como comentamos no Capítulo 5, a lei classifica os animais como propriedade. Quando podemos comprar, vender, negociar ou trocar alguém como se ele fosse um carro usado – ou mesmo partes de um carro usado –, nós literalmente o transformamos em pedaços vivos de uma *matéria-prima*. Encarando os animais como objetos, podemos tratar seus corpos de acordo com isso, sem o desconforto moral que de outro modo poderíamos sentir.

Desindividualização:
Vendo os Animais como Abstrações

Não [penso nos animais de criação como indivíduos]. Eu não ia conseguir fazer meu trabalho se tivesse essa intimidade com eles... Quando você fala indivíduo, está se referindo a uma criatura única, uma coisa única que tem um nome e características próprias, e que tem suas manias? É assim? Bem, eu realmente preferiria não saber disso. Tenho certeza de que eles são assim, mas eu preferiria não saber.

– Cortador de carne de 31 anos

A *desindividualização* é o processo de encarar os indivíduos apenas em termos de sua identidade de grupo, como se tivessem as mesmas características de qualquer outro membro do grupo. Sempre que nos deparamos com um conjunto de outras criaturas, é natural que pensemos nelas, pelo menos em parte, como um grupo. Quanto maior o grupo, mais provável se torna que vejamos antes o todo que suas partes componentes; quando pensamos numa nação, por exemplo, provavelmente imaginamos seus cidadãos basicamente como membros de um grupo ao qual atribuímos uma série de características compartilhadas. A desindividualização, contudo, é encarar outros *apenas* como membros de um todo; é a incapacidade de avaliar a individualidade das partes que constituem o todo. É o que acontece com nossa percepção dos animais que comemos.

Por exemplo, como mencionei anteriormente, quando pensamos nos leitões que são criados como carne de porco, provavelmente não pensamos neles como indivíduos, com suas personalidades e preferências. Nós os vemos, certamente, como uma *abstração*, como um grupo. Como outros grupos que foram vítimas de ideologias violentas, porcos criados por causa da carne podem ter números em vez de nomes e não se considera que haja diferenças entre eles; um porco é um porco e todos os porcos são iguais. Mas imagine como você se sentiria se sua embalagem de cachorro-quente incluísse um rótulo com o nome, retrato e descrição do porco de quem a carne foi obtida ou se você travasse conhecimento com um dos porcos que iam se transformar em sua comida. Inúmeros alunos meus, assim como os comedores e cortadores de carne que entrevistei em minha pesquisa, relataram que, depois que passavam a conhecer um determinado animal "de corte", sentiam-se incapazes de consumir esse animal e alguns até se sentiam mal com a ideia de continuar a comer a carne da espécie de que ele fazia parte. Por exemplo, um cortador de carne de 31 anos de idade me disse: "Eu teria uma visão diferente sobre os porcos em geral se tivesse um porco como animal de estimação... Eu simplesmente veria o meu porquinho toda vez que alguém estivesse preparando costeletas ou coisa parecida".

Reações negativas à ideia de consumir (ou preparar a carne de) um animal familiar são comuns pelo mundo afora e podem ser muito poderosas. Por exemplo, as mulheres índias da área de Quito, no Equador, ligam-se às suas galinhas como os americanos se ligam a seus cachorros e gatos. Quando as circunstâncias forçam essas mulheres a vender as aves para o abate, elas o fazem com lágrimas e gritos estridentes.[89] E pensemos nas respostas de meus entrevistados quando eu perguntava como reagiriam à possibilidade de comer um animal de criação com quem tivessem se familiarizado. Uma entrevistada de 35 anos que come carne explicou: "Pareceria errado comer essa [carne]... Quer dizer, seria como se eu o tivesse assassinado, isso mesmo, como se o tivesse matado. E por que motivo? Entende o que estou dizendo? Eu jamais conceberia isso. Se é um animal de estimação, não se toca nele, percebe? Quando morre, a gente enterra; é mais ou menos como um membro da família".

Faz eco a esse sentimento um açougueiro de 58 anos, que me disse: "Eu precisaria estar morrendo de fome para comer meu animal de estimação [porco]... [porque] se eu conhecesse realmente bem o porco ou a porca sentiria muita mágoa em ter de comer um amigo". Contudo, quando perguntei por que não sentia a mesma coisa com relação aos porcos que utilizava em seu trabalho, ele respondeu: "Tenho de classificar todos eles como alimento. Se alguém estivesse criando algum como animal de estimação, aí seria diferente".

Um entrevistado de 31 anos que come carne, e criava e matava seus próprios animais em seu país nativo, o Zimbábue, explicou: "Eu não comeria algo a que tivesse dado um nome... Para mim, isso é como um amigo. Você está comendo um animal com que tem uma relação de intimidade".

Outro homem, de 28 anos, que come carne, disse que nem precisaria ter uma relação pessoal com um animal para se sentir pouco à vontade com a individualidade dele: "Mesmo vendo um animal numa jaula com centenas de outros animais, se você faz essa associação [que se trata de um indivíduo], ele fica de certo modo no mesmo nível que o animal de estimação da família. Como se pode matar um animal de estimação? Como se pode matar um porco especial que está num chiqueiro com uma centena de outros?"

Reconhecer a individualidade dos outros interrompe o processo de desindividualização, tornando mais difícil manter a distância psicológia e emocional necessária para lhes fazer mal.

NÚMEROS E ENTORPECIMENTO

O psicólogo Paul Slovic examinou a relação entre o número de vítimas numa situação traumática e reações de testemunhas ao sofrimento delas. O que ele descobriu foi que, quanto maior o número de vítimas, mais as testemunhas veem de forma embaçada, ou despersonalizada, os indivíduos e menos tendem a se importar – e esse embaçamento parece começar com apenas duas vítimas. Slovic sustenta que números e entorpecimento andam de mãos dadas. O que isso significa é que é muito mais provável que vítimas individuais, humanas ou não humanas, despertem a nossa compaixão do que grupos de vítimas.

Pense, por exemplo, no incidente de 2005 em que um pardal sobrevoou uma competição de dominó na Holanda, derrubando mais de 23 mil peças, e que acabou morto com um tiro: foi montado um site como tributo ao pássaro, que atraiu dezenas de milhares de visitantes. Ou pegue o abate, em 2001, de milhões de cabeças de gado no Reino Unido, que se acreditava terem sido expostos à febre aftosa: apesar das exigências dos ativistas de direito animal de que a matança fosse suspensa, foi só quando um jornal publicou a foto de um jovem bezerro chamado Fênix que o governo concordou em alterar sua política. E quando a escritora Annie Dillard disse à filha de 7 anos como lhe era difícil imaginar que 138 mil pessoas tivessem se afogado em Bangladesh, a filha respondeu: "Não, é fácil. Montões e montões de pontinhos na água azul".

Madre Teresa estava bem familiarizada com o fenômeno de números e entorpecimento: "Se olho para a multidão", disse ela, "jamais vou agir".

Fonte: Paul Slovic, "If I Look at the Mass I Will Never Act: Psychic Numbing and Genocide".

Dicotomização: Vendo os Animais em Categorias

Não sei, talvez seja mais fácil [comer] animais que foram criados exatamente com a finalidade de [serem comidos]... Ter um esquilo correndo no quintal e depois vê-lo em nosso prato é sem dúvida meio perturbador... É quase como se houvesse um departamento distinto dos animais que você vê correndo do lado de fora – os nossos estão protegidos de serem comidos pelas pessoas.

– Mulher comedora de carne de 22 anos

A dicotomização é o processo de encaixar mentalmente os outros em duas categorias, frequentemente em oposição, com base em nossas crenças acerca deles. Em si e por si, classificar os outros em grupos não causa problema. Como discutimos no Capítulo 1, criar classificações mentais é um processo natural que nos ajuda a organizar a informação. As dicotomias, contudo, não são apenas classificações; são dualistas e, como tal, criam um retrato em preto e branco da realidade. O que resulta é uma repartição do mundo em categorias inflexíveis, carregadas de juízos de valor, que estão geralmente baseadas em pouca ou imprecisa informação. A dicotomização nos faz, então, separar grupos de indivíduos em nossa mente e abrigar emoções muito diferentes com relação a eles.

Quando se trata de carne, as duas categorias principais que temos para os animais são comestíveis e não comestíveis. E dentro da dicotomia comestível/não comestível, temos uma série de outros pares de categorias. Por exemplo, comemos antes animais domesticados que animais selvagens, e herbívoros antes que onívoros ou carnívoros. A maioria das pessoas não comerá animais que considere inteligentes (golfinhos), mas consome regularmente os que acreditam não serem tão espertos (vacas e frangos). Muitos americanos evitam comer animais que julgam engraçadinhos (coelhos), preferindo comer animais que consideram menos atraentes (perus).

O fato de as categorias em que inserimos os animais serem precisas ou não é menos importante que o fato de *acreditarmos* que sejam precisas ou não, já que o propósito da dicotomização é simplesmente nos distanciar do desconforto de comermos carne. Se filtramos nossas percepções de animais por meio de categorias carregadas de juízos de valor, podemos, por exemplo, comer nosso bife enquanto fazemos carinho no cachorro e permanecemos alheios às implicações de nossas escolhas. A dicotomização, portanto, dá suporte à justificativa; ela nos permite que achemos justo comer um animal, por exemplo, porque ele não é inteligente, não é um animal de estimação, não é engraçadinho – é comestível.

Evidentemente, nem todos os animais comestíveis se encaixam com perfeição nas categorias em que os colocamos. A fim de manter o *status quo* carnista, então, mantemos suposições falsas sobre os animais que comemos para podermos continuar a classificá-los como comestíveis. Porcos e frangos inteligentes são vistos como estúpidos e belos perus são encarados como feios.

Contudo, quando somos pressionados a examinar nossas suposições, a natureza arbitrária e irracional da dicotomização se torna evidente. Avalie, por exemplo, a confusão manifestada por um homem comedor de carne de 43 anos quando lhe pedi para explicar por que não come carneiro:

> [Carneiros] são criaturas dóceis... Acho uma vergonha serem mortos e serem comidos. Há muitas outras coisas que também são dóceis, mas que comemos... as vacas são. Nós as comemos... Não sei como descrever isso. Parece que todo mundo come carne de vaca. É mais barato. É algo acessível e há tantas vacas. Mas com os carneiros é diferente. São menores ou mais graciosos. Não sei. Você não faria carinho numa vaca. Parece que tudo bem comer uma vaca, mas não é legal comer um carneiro... A diferença é estranha.

Tecnologia, Distorções e Distanciamento

É mais fácil pensar [em animais de criação] no abstrato... A coisa me faz pensar nessa citação: "A morte de uma pessoa é uma tragédia; a morte de um grupo é uma estatística".

– Homem comedor de carne de 33 anos

Uma discussão sobre o Trio Cognitivo não estaria completa sem mencionar o papel da tecnologia em distorções e distanciamento psicológicos. A tecnologia reforça o trio, capacitando-nos a tratar certos animais como objetos e abstrações – objetos porque literalmente se tornam unidades de produção numa cadeia de desmontagem, e abstrações porque o simples volume de animais mortos para servir de comida inevitavelmente os desindividualiza. Na realidade, a produção de carne em larga escala só é possível graças à tecnologia: os métodos modernos nos permitem comer bilhões de animais por ano sem testemunhar uma única parte do processo pelo qual esses animais se convertem em nosso alimento. Essa produção em massa de carne, acompanhada de nosso afastamento do processo de produção, nos tornou ao mesmo tempo mais e menos violentos do que nunca com relação aos animais; somos capazes de matar mais animais, mas estamos menos dessensibilizados ou confortáveis ante o fato de os estarmos matando. A tecnologia tem ampliado o fosso entre nossos comportamentos e valores, realçando assim a dissonância moral que o sistema tanto se esforça para obscurecer.

Mas a tecnologia, é claro, frequentemente não erradica todos os traços da produção de carne. E quando não o faz, podemos nos encontrar na desconfortável posição de reconhecer que nossa carne veio, de fato, de um ser vivo. Por exemplo, uma mulher comedora de carne de 22 anos me disse que não comia carne de porco de um mercado de sua cidade que vendia pés de porco e porcos inteiros: "Acho que em parte porque isso me lembra de que você não está simplesmente comendo... como se o pedaço de carne tivesse simplesmente caído do céu. O pedaço está relacionado ao animal inteiro... Não é apenas uma coisa em si, processada com esmero, que você está comendo no jantar... Você tem de pensar nela como uma criatura inteira".

Distorções e Repugnância

Não gosto de comer corações de galinha... Acho que em grande parte porque [com] os corações de galinha se pode realmente ver que é um coraçãozinho. [Se os comesse, me sentiria] mal... O problema são as associações que fazemos com o coração e, você sabe, com o fígado e coisas do tipo... Coração ou fígado de alguém... Estão associados a pessoas.

– Mulher comedora de carne de 27 anos

Distorcendo nossas percepções dos animais, o Trio Cognitivo impede que nos *identifiquemos* com eles. Identificar-se com outros é ver algo de si próprio neles e ver algo deles em si próprio – mesmo que a única coisa com que você se identifique seja o desejo de estar livre do sofrimento. A identificação é um processo cognitivo e, quando pensamos nos animais como objetos, abstrações ou itens de categorias fixas, amesquinhamos esse processo. E como os pensamentos afetam os sentimentos, quanto menos nos identificamos com os outros, menos desenvolvemos uma *empatia* para com eles. É o que se conhece em psicologia como princípio da semelhança: sentimos maior empatia com relação aos que nos parecem mais semelhantes a nós. Pense, por exemplo, como um americano ficaria mais perturbado com a morte de americanos num desastre aéreo que com a de outros passageiros, mesmo que ele não tivesse tido contato pessoal com ninguém a bordo. Veja, ainda, a declaração de um açougueiro de 58 anos que entrevistei:

> Levei meu filho [para o açougue]... Ele tem 8 anos. Tínhamos um carneiro lá. Ele gosta de carneiro, se aproxima e pergunta: "O que é isso?"
>
> Eu falo: "É um carneiro".
>
> Nada acontece, mas daí a um dia ou dois eu pergunto: "Não quer um bom filé de carneiro?"
>
> "Não", disse ele, "acho que não quero carneiro. Olhei para aquele animal... [e] ele também estava me olhando."

Assim como o grau em que nos identificamos com o outro determina até que ponto desenvolvemos uma empatia com relação a ele, o grau de nossa empatia determina, em grande parte, até que ponto nos *repugna* a ideia de comê-lo* (algumas possíveis exceções são os animais que classificamos mentalmente como repugnantes,

* Embora a repugnância possa ser uma resposta inata que tem como objetivo nos impedir de ingerir substâncias prejudiciais, como fezes e vegetais apodrecidos, não há dúvida de que é também uma reação a estímulos puramente ideacionais ou psicológicos. A repugnância ideacional é o foco deste livro.

mesmo quando estão vivos, como cobras e insetos, e certas espécies que consideramos "sujas", como ratos e pombos). O fato de a identificação e a empatia fazerem surgir a repugnância pode explicar por que os pesquisadores descobriram que quase todos os objetos repugnantes são de origem animal (e os que não são de origem animal lembram com frequência produtos animais, como o quiabo viscoso, cheio de muco). O diagrama abaixo representa a correlação entre identificação, empatia e repugnância:

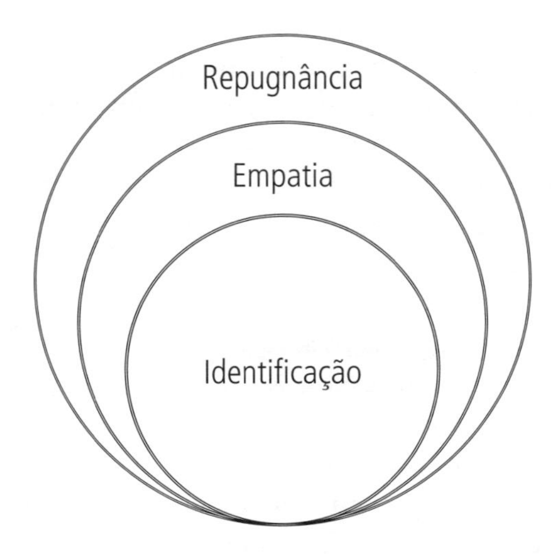

A razão de empatia e repugnância estarem tão intimamente relacionadas deve-se ao fato de a empatia ser a base de nosso senso de moralidade e a repugnância ser uma *emoção moral*. Tipicamente, quanto maior a empatia que sentimos por um animal, mais imoral – e portanto repugnante – vemos o ato de comê-lo. A relação entre moralidade e repugnância é sustentada por uma série de estudos que mostraram que as pessoas sentem repugnância pela ideia de consumir um produto que julgam moralmente ofensivo, que viola seu senso de integridade.[90] Veja o comentário de um comedor de carne de 34 anos que gosta de consumir carne regularmente, mas se opõe por motivos éticos à ingestão de vitela: "Vamos supor que eu tenha ido à sua casa... e você me diz que acabei de comer carne de vitela. Provavelmente vou vomitar... pois *tenho* de tirar aquilo do meu sistema".

Enojado pela Injustiça

Um estudo recente conduzido por pesquisadores da Universidade de Toronto sugere que podemos ser plugados para sentir repugnância por insultos morais.[91] Os pesquisadores ligaram eletrodos ao rosto de 20 participantes para registrar alterações nos movimentos faciais. Os participantes foram então submetidos a uma série de três diferentes condições: receberam líquidos de sabor "repugnante" para tomar, viram fotos de coisas repugnantes, como banheiros sujos e feridas, e foram submetidos a tratamento injusto num jogo de laboratório que praticaram. Os pesquisadores descobriram que, em cada condição, os movimentos faciais automáticos das cobaias foram os mesmos: eles contraíam o músculo *levator labii*, que ergue o lábio superior e franze o nariz, indicando uma reação de nojo. Os pesquisadores concluíram que a "repugnância moral" pode, de fato, estar intimamente relacionada à antiga, primitiva reação de nojo que nos impedia de comer alimentos podres ou contaminados. Outros estudos produziram resultados similares.

Controle do Dano Psicológico: Repugnância e Racionalização

Por um certo número de razões, podemos nos sentir enojados com a carne de animais comestíveis – carne a que não deveríamos ter aversão. Nesses casos, quando a repugnância abre caminho através das defesas que nos mantêm entorpecidos, precisamos de um mecanismo de defesa de reforço que aja como uma rede de segurança; precisamos racionalizar o irracional.

Racionalização é o mecanismo de defesa pelo qual fornecemos uma explicação racional para algo que não é racional. Como acontece com outras defesas, a racionalização serve para manter o sistema intacto. Quando o processo de distanciamento carnista foi interrompido e surge a repugnância, podemos desviar a atenção de nosso desconforto moral atribuindo nossa repugnância a outra coisa que não ao fato de estarmos consumindo um ser vivo. Por exemplo, quando sentimos repugnância pela carne que nos faz lembrar de sua fonte animal, podemos atribuir nossa aversão à textura da carne ou a um ilusório risco de saúde. Como me disse uma entrevistada: "Não gosto de comer *bacon* porque... ele me deixa um pouco inchada... É saturado de gordura. Simplesmente não imagino que isso possa ser lá muito bom para o meu corpo... E ver tanta gordura e banha, mesmo se o gosto fosse bom, acho que me daria repulsa". Perguntei se sentia o mesmo com relação a batatas fritas ou outras comidas gordurosas e ela respondeu: "É parecido, mas há também algum problema em ver a carne crua quando se está cozinhando... [C]ozinhar uma batata não é assim tão mau, eu acho... Há uma certa associação de que [a carne] é um pedaço de alguma coisa, não exatamente algo que você tira do chão".

E outro entrevistado explicou: "Não vou comer algo que esteja cru ou meio cru... A visão do sangue... Não gosto de sangue e certamente não quero que escorra do alimento que estou comendo". Quando perguntei como a visão de carne sangrenta o fazia se sentir, ele respondeu: "[É] repugnante. Não é saudável, embora eu saiba que é provavelmente mais saudável comer [comê-la] malpassada que bem passada".

É impressionante como toda uma sociedade de pessoas racionais pode sustentar padrões tão irracionais de pensamento sem perceber as falhas gritantes na lógica. E no entanto esse paradoxo faz sentido quando é compreendido dentro do contexto do carnismo: como seu *modus operandi* é antes distorcer que descrever a realidade, o sistema é essencialmente irracional. E como estamos olhando para o sistema de dentro – de dentro de um esquema que o espelha – adotamos sua lógica como se fosse nossa.

O Comer Emocional

Com frequência se acredita que o fato de uma cultura evitar certos tipos de carne é racional, derivando do esforço feito pela cultura para preservar a si própria. Presumimos, por exemplo, que uma cultura não defende a ingestão de animais que não são saudáveis (pense nos ratos que moram nos esgotos), que são úteis (como os bois que aram os campos) ou que são antieconômicos para criar e abater (como animais carnívoros que seria perigoso manejar). Contudo, embora em certos casos possa haver razão lógica para um tabu cultural contra o consumo de determinado tipo de animal, a pesquisa sugere que, com mais frequência, o oposto é que é verdadeiro: as culturas usam explicações como as já citadas como um meio de racionalizar suas opções irracionais de que animais comer.

Numa infinidade de culturas, muitas espécies de animais "comestíveis" são percebidas como não comestíveis, o que sugere fortemente que o preconceito cultural, antes que a lógica, determina quais animais serão classificados como alimento. Por exemplo, os índios nambiquaras do Brasil criam animais domesticados que seriam adequados ao consumo humano. Contudo, tratam-nos como animais de estimação, interagindo com eles como os americanos interagem com cães e gatos; não comem sequer os ovos postos pelas galinhas.[92] Além disso, não há motivo para os americanos não comerem cavalos, como fazem alguns franceses, ou baratas, como alguns asiáticos, ou pombos, que são muito numerosos no Egito, onde são consumidos. Os californianos poderiam facilmente colher os caracóis que superpovoam seus jardins e que são da mesma espécie daqueles servidos como *escargots*, mas preferem comer apenas caracóis importados.[93] E povos cavaleiros asiáticos, que têm dependido extremamente de cavalos, não possuem proibições contra o consumo de carne de cavalo. Quando se trata de decidir que espécies de animais comer, parece que a emoção se sai melhor que a razão.

Tirando a Carne de Cachorro: Repugnância e Contaminação

A repugnância tem o que os psicólogos chamam propriedades de contaminação. Em outras palavras, algo repugnante pode tornar também repugnante tudo com que entra em contato. Por exemplo, a maioria de nós não tomará uma sopa em que uma mosca pousou, mesmo se formos capazes de remover rapidamente o inseto e a área do líquido tocada por ele. A sopa restante, sem nenhum traço residual da mosca, ficou irremediavelmente contaminada. A sopa em si mesma não estava repugnante, mas a *ideia* de que algo repugnante – uma mosca – encostara mesmo numa pequena parte dela tornou a sopa intragável.

No Capítulo 1, você foi solicitado a pensar na propriedade de contaminação da repugnância, quando apresentamos um cenário em que lhe foi dito que tinham lhe servido carne de cachorro, e depois perguntamos se você tiraria a carne do ensopado e comeria as verduras em volta. Ao que tudo indica, se você tivesse sentido repugnância pela carne de cachorro, também sentiria aversão por qualquer coisa que tivesse sido tocada por ela. Isso acontece porque, ao contrário do *desagrado* – não gostar do sabor de um produto –, a repugnância é frequentemente *ideacional*: pode ser desencadeada antes por uma ideia ou crença acerca de um alimento que por aquilo que esse alimento realmente é. O efeito contaminante da repugnância explica por que muitos vegetarianos se sentem incapazes de ingerir alimento que tenha sido cozinhado com carne ou perto dela.*

A Matriz dentro da Matriz: o Esquema Carnista

O carnismo é um sistema social, uma matriz social. Mas é também um sistema psicológico, um sistema de pensamento, uma matriz *interior*. É uma matriz dentro da Matriz. E assim como a matriz social é construída para manter uma lacuna em nossa consciência, o mesmo acontece com a matriz psicológica. Essa matriz psicológica é o que chamo de *esquema carnista*. O esquema carnista é em grande parte compreendido pelo Trio Cognitivo, mas também inclui as outras defesas e crenças discutidas em todo este livro. O esquema carnista é, essencialmente, a tomada que nos conecta à matriz mais ampla do carnismo.

Você pode recordar do Capítulo 1 que um esquema é a lente por meio da qual vemos o mundo e que ele serve como um sistema de classificação mental que organiza e interpreta a informação que recebemos. Nosso esquema carnista dita que animais são comestíveis, quais deles não são comestíveis e determina como nos sentimos (ou mais precisamente se sentimos alguma coisa) quando comemos carne.

---

*Um fenômeno interessante que observei é que muitos *veganos* – vegetarianos "puros" que evitam todos os produtos animais – tendem a sentir menos repugnância por ovos e laticínios que pela carne. Falta pesquisa sobre esse fenômeno. Contudo, desconfio que, como é *possível* conseguir ovos e laticínios sem violência, esses alimentos são percebidos como menos ofensivos em termos morais e, portanto, menos repugnantes.

Os esquemas, contudo, não apenas classificam a informação, mas também a *filtram*; tendemos a notar e lembrar somente aquilo que confirma nossas suposições preexistentes. Os psicólogos se referem a esse fenômeno como *viés de confirmação*. O esquema carnista admite seletivamente a informação que mantém a lacuna em nossa consciência e distorce nossa percepção da informação que ameaça preencher essa lacuna. Em outras palavras, o esquema carnista determina em que reparamos, como interpretamos aquilo em que reparamos e se nos lembramos daquilo em que reparamos. Por exemplo, durante o exercício em sala de aula que descrevi no Capítulo 2, no qual meus alunos compartilhavam a crença de que os porcos são estúpidos e nojentos, alguns dos alunos admitiram mais tarde que, em algum momento de suas vidas, tinham se deparado com informação que desacreditava essa crença. Tal informação, no entanto, fora rapidamente esquecida, enquanto o esquema carnista tornava a pôr no lugar a visão original que eles tinham dos porcos. Outro exemplo de viés de confirmação é como a angústia que as pessoas sentem após testemunhar imagens de animais sendo abatidos com frequência "se dissipa" pouco tempo depois.

Síndrome de Tolstói

O fenômeno a que os psicólogos se referem como "viés de confirmação" foi também chamado síndrome de Tolstói, em homenagem ao escritor russo que escreveu sobre nossa tendência a nos deixarmos cegar por nossas crenças. Como disse Tolstói:

> Sei que a maioria dos homens, incluindo os que se sentem à vontade ante problemas da maior complexidade, raramente consegue aceitar a mais simples e mais óbvia das verdades se ela... os obriga a admitir a falsidade de conclusões que... teceram, fio por fio, entre as tramas de sua vida.

O esquema carnista, que distorce a informação para que o disparate pareça fazer perfeito sentido, também explica por que não conseguimos ver os absurdos do sistema. Pense, por exemplo, nas campanhas publicitárias nas quais um porco dança alegremente sobre a fogueira onde será transformado em churrasco ou galinhas usam aventais implorando que o espectador as coma. E pense no juramento do veterinário da American Veterinary Medical Association [Associação Médico-Veterinária Americana] – "Juro solenemente usar minhas... aptidões para o... alívio do sofrimento dos animais" – à luz do fato de que a grande maioria dos veterinários come animais simplesmente porque gosta do sabor que tem a carne. Ou pense nas pessoas que não substituirão seus hambúrgueres por sanduíches vegetarianos, mesmo se o sabor for idêntico, pois afirmam que, prestando bastante atenção, podem detectar uma diferença sutil na textura. Só quando desconstruímos o esquema carnista podemos ver o absurdo de colocar nossa preferência pela recriação impecável de um padrão de textura acima da vida e da morte de bilhões de outras criaturas.

Saída por Aqui: a Brecha na Matriz Carnista

O sistema carnista está crivado de absurdos, incoerências e paradoxos. É fortificado por uma complexa rede de defesas que fazem com que possamos acreditar sem questionar, conhecer sem refletir e agir sem ter sentimentos. É um sistema coercitivo que tem cultivado em nós uma elaborada rotina de ginástica mental que nos impede de ficarmos ancorados à nossa verdade. Assim, não podemos deixar de nos perguntar: *Por que todas as acrobacias?* Por que o sistema tem de chegar a esse ponto para conservar-se intacto?

A resposta é simples. Porque nos importamos com animais e nos importamos com a verdade. E porque o sistema depende de nossa indiferença e o sistema está construído com base na fraude. O carnismo é um castelo de cartas, um sistema rachado e fragmentado que precisa de uma boa fortaleza para proteger-se de seus próprios patrocinadores – nós.

E como a Matrix cinematográfica, a matriz do carnismo só pode aprisionar nosso coração e mente enquanto guardarmos nossas próprias celas, enquanto formos participantes voluntários. Só pode bloquear a verdade enquanto pudermos tolerar viver uma mentira.

Como Morfeu explicou a Neo:

> Vejo em seus olhos. Você tem o olhar de um homem que aceita o que vê porque está esperando despertar... Vou lhe dizer por que está aqui. Está aqui porque sabe de alguma coisa. Não pode explicar o que sabe, mas sente a coisa. Sentiu a vida inteira que há algo de errado com o mundo. Você não sabe o que é, mas está lá, como uma farpa em sua mente... Estou tentando libertar sua mente, Neo. Mas só posso lhe mostrar a porta. É você quem tem de atravessá-la.

Como Neo, você está aqui, lendo este livro, porque soube que há algo de errado com o mundo. Você está preparado para dar um passo para fora da matriz carnista e reclamar a empatia da qual o sistema tanto tem se esforçado para protegê-lo, exatamente a empatia que leva à porta do carnismo – a empatia que o ajudará a *atravessar* essa porta para criar uma sociedade mais humana.

Capítulo 7

Dando Testemunho: do Carnismo à Compaixão

Numa hora escura, o olho começa a ver.

– *Theodore Roethke*

Nossos netos um dia nos perguntarão: Onde você estava durante o Holocausto dos animais? O que você fez contra esses crimes horripilantes? Não vamos conseguir dar a mesma desculpa pela segunda vez, a de que não sabíamos.

– *Helmut Kaplan*

Em novembro de 1995, Emily, a vaca, estava numa fila de bovinos num matadouro da Nova Inglaterra, esperando sua vez de atravessar as portas de vaivém para a sala de abate. Talvez por causa do cheiro de sangue ou pelo fato de os que tinham ido antes dela não voltarem, Emily arremeteu de repente para fora da fila, correu o mais que pôde para a cerca de um metro de meio de altura que cercava a área e içou o corpo de quase 700 quilos por cima dela. Fugiu pela mata e escapou dos trabalhadores incrédulos que correram atrás dela.

Durante quarenta dias e noites gelados, Emily se escondeu de seus perseguidores nas áreas arborizadas de Hopkinton, em Massachusetts, uma pequena cidade rural no coração da Nova Inglaterra. E embora A. Arena & Sons, proprietários do matadouro do qual Emily escapara, estivessem decididos a capturá-la, os habitantes locais estavam decididos a ajudá-la em sua fuga para a liberdade. Lavradores deixavam fardos de feno para ela; moradores locais enganavam deliberadamente a polícia dando informações falsas sobre seu paradeiro.

Lewis e Megan Randa, fundadores da Peace Abbey [Abadia da Paz], um centro espiritual e educacional para um modo de vida não violento que funcionava na região, souberam da difícil situação de Emily. Os Randa se ofereceram para comprar Emily de A. Arena & Sons. Esperavam que Emily pudesse passar a viver na pequena reserva animal que havia em suas terras. O dono do matadouro, Frank Arena, ficou comovido com a história de Emily e concordou em vender a vaca de 500 dólares por apenas 1 dólar. Esse inesperado ato de benevolência foi seguido por outro: a produtora cinematográfica Ellen Little, que comprou os direitos da história de Emily por uma soma que cobria os gastos com a vaca pelo resto da vida do animal, doou 10 mil dólares para construir um novo estábulo para Emily e um centro educacional adjacente, que se concentrou em problemas relativos aos animais.

Emily, outrora uma anônima vaca leiteira, passou a ser um indivíduo que inspirou compaixão nas muitas vidas que tocou. Pessoas pelo mundo afora relataram que pararam de comer carne simplesmente por terem sabido do caso de Emily. Suas defesas carnistas sucumbiram e foram substituídas pela compaixão. Por que outra razão uma comunidade de "comedores de carne" e lavradores ajudaria uma vaca fugitiva a escapar do abate? Por que outra razão o dono de um matadouro doaria sua vaca a uma reserva animal que funcionava também como centro de educação vegetariana?

Emily viveu o resto de seus dias na Peace Abbey e morreu de câncer uterino aos 10 anos de idade. A cerimônia de seu sepultamento atraiu atenção internacional e as homenagens se prolongaram por mais de uma hora. Uma homenagem em particular captou a essência da história de Emily:

> Por sua simples presença, você produziu uma nova consciência nas pessoas. Uma olhada em seus olhos castanhos, grandes e luminosos, transmitia muito mais do que

> as palavras jamais conseguiriam... Você deixou um testemunho mudo da necessidade urgente de uma compaixão que tenha um alcance universal... Não pode haver "últimas homenagens" para você, Emily, e nada pode estar terminado até que o último matadouro tenha fechado suas portas, até que todos os seres mostrem compaixão uns pelos outros, local e globalmente. É um processo que também vai durar mais do que eu. Sua corajosa jornada de vida será um lembrete contínuo de que eu nunca devo desistir. Você nunca desistiu.[94]

E a jornada de vida de Emily continua a ser um lembrete. Ela nos lembra que não podemos deixar que o sistema violento que é o carnismo nos cegue para a verdade, a verdade do sofrimento desnecessário de bilhões de animais – e a verdade de que *nos preocupamos com isso.*

Emily está imortalizada por uma estátua de bronze, em tamanho natural, que reproduz sua verdadeira aparência e se encontra sobre seu túmulo na Peace Abbey. Essa estátua, com os dizeres "Emily, a Vaca Sagrada", permanece como testemunha dos bilhões de animais que são vítimas anônimas do carnismo e dos inumeráveis seres humanos que estão lutando por sua liberdade. A estátua da vaca sagrada personifica o ato sagrado de dar testemunho.

Vendo com o Coração: a Força do Testemunho

Quando visitei Peace Abbey pela última vez, parei diante de cada um de seus monumentos. Ao erguer os olhos para a imponente estátua de Gandhi, vi o mundo como ele tinha visto – repleto de violência e sofrimento, mas também um lugar de grande beleza e grande potencial. Lembrei da Marcha do Sal, de 1930,* e pensei na dignidade dos indianos que deram a vida em nome da libertação

---

* A Marcha do Sal foi um ato de protesto, liderado por Gandhi, contra a proibição, imposta pela metrópole britânica, de extração do sal na Índia. (N. do T.)

não violenta. Refleti de novo sobre esse paradoxo da experiência humana quando baixei os olhos para o monumento em forma de lápide com a inscrição "Civis Inocentes Mortos em Guerras". Imaginei as ruas do Iraque, os campos do Camboja e as selvas da Nicarágua, cobertos de corpos de todas as formas, tamanhos, cores e idades. Mas também me lembrei das 400 mil pessoas com quem marchei pelas ruas congeladas da cidade de Nova York em 15 de fevereiro de 2003, numa demonstração pacífica contra a iminente invasão do Iraque. Depois, ao contemplar a estátua de Emily, imaginei como as coisas tinham sido para ela, trazida a este mundo para servir como uma máquina viva. Pensei nos frigoríficos escuros e no terror e desamparo dos incontáveis animais dentro deles. Mas também pensei nos investigadores secretos da Humane Society of the United States, cuja gravação em vídeo do manejo brutal de animais num matadouro levou ao clamor público e à maior interdição de carne na história dos Estados Unidos. Em cada monumento, vi o mundo através dos olhos daqueles que eram homenageados. Tornei-me uma testemunha.

Quando damos testemunho, não estamos meramente agindo como observadores; nós nos conectamos emocionalmente com a experiência daqueles de quem somos testemunhas. Desenvolvemos *empatia*. E ao fazê-lo, preenchemos a lacuna em nossa consciência, a lacuna que permite que a violência do carnismo perdure.

Mencionamos essa lacuna em nossa consciência no Capítulo 1. É o elo perdido em nossa percepção, nossa incapacidade de conectar a carne com sua fonte animal. A lacuna bloqueia nossa repugnância e nossa empatia. E livra a consciência da incoerência entre nossos valores e nossos comportamentos quando se trata de comer carne. Testemunhar preenche a lacuna porque nos conecta com a verdade. Quando testemunhamos, confirmamos, ou tornamos real, o sofrimento que o sistema tanto se esforça para esconder e também confirmamos nossa genuína reação a ele. Testemunhar nos conecta com a verdade das práticas carnistas, assim como com nossa verdade interior, nossa empatia. Damos testemunho para outros e para nós mesmos.

Assim como um testemunho individual preenche a lacuna em nossa consciência, o *testemunho coletivo* preenche a lacuna na consciência social. O testemunho coletivo leva a um público informado e a um sistema em que valores e práticas estão mais alinhados. Pense nisto: praticamente toda atrocidade na história da humanidade foi possibilitada por uma massa que desviava o rosto de uma realidade que parecia dolorosa demais para ser encarada, enquanto praticamente toda revolução por paz e justiça foi tornada possível por um grupo de pessoas que preferiu dar testemunho e exigiu que outros também fizessem isso. O objetivo de todos os movimentos de justiça é ativar o testemunho coletivo para que as práticas sociais reflitam valores sociais. Um movimento é bem-sucedido quando atinge uma massa crítica de testemunhos – isto é, testemunhos em quantidade suficiente para inclinar as balanças de poder a favor do movimento. Isso porque o testemunho em massa é simplesmente a maior ameaça para o carnismo; o sistema inteiro está por toda parte organizado impedindo esse processo. Na verdade, o único propósito das defesas carnistas é bloquear o testemunho.

Testemunhar pode assumir muitas formas, incluindo manifestações, vigílias à luz de velas, faixas, palestras e criações artísticas. Testemunhar tem sido historicamente uma arte criativa: pense na música revolucionária dos anos 1960; na Aids Quilt,* que cobre uma distância de 84 quilômetros, trazendo mais de 91 mil nomes; no muro gigantesco do Vietnam Veterans' Memorial [Monumento aos Veteranos do Vietnã], que atrai todo ano 3 milhões de visitantes; no até hoje maior símbolo da paz humana, formado por 6 mil pessoas reunidas em Ithaca, no estado de Nova York; e na Hora da Terra de 2008, em que 50 milhões de pessoas em sete continentes apagaram as luzes durante uma hora para mostrar seu apoio à justiça ambiental.

---

* Literalmente "Colcha da Aids", gigantesca "colcha" de retalhos confeccionada com a colaboração de amigos e parentes de vítimas da Aids. Trata-se, na realidade, de um conjunto de painéis contendo pinturas, gravuras e inscrições; a cada pessoa morta corresponde um painel. (N. do T.)

Testemunhar, um ato de criação, parece uma reação humana natural à destruição que ele procura reverter. Uma renomada psiquiatra, Judith Herman, nos diz: "A reação habitual a atrocidades é bani-las da consciência... As atrocidades, porém, se recusam a ser enterradas. Sem dúvida tão poderosa quanto o desejo de negar atrocidades é a convicção de que a negação não funciona".[95] Herman continua dizendo que a força de dizer o indizível levanta as barreiras da negação e da repressão, liberando uma tremenda energia criativa.

PROGRAMADO PARA SE IMPORTAR?

Uma pesquisa recente sugere que pode haver uma base biológica para a empatia. Em outras palavras, os humanos (assim como alguns outros animais) podem ser naturalmente empáticos. Os cientistas descobriram que nossos neurônios-espelho, neurônios de nosso cérebro que disparam em resposta a ações, podem ser ativados se estamos executando as ações ou apenas testemunhando-as.[96] Por exemplo, ver um homem ou uma mulher chutar uma bola, chorar, ser ferido ou se contorcer com um inseto rastejando por suas pernas ativa as mesmas áreas de nosso cérebro que aquelas que seriam ativadas se os eventos estivessem acontecendo diretamente conosco. Assim, até certo ponto, sabemos o que o outro sente não apenas porque tentamos nos colocar no lugar dele, mas porque estamos literalmente sentindo a mesma coisa.

As implicações dessas descobertas são significativas. Se a empatia está configurada em nosso cérebro, se é uma resposta automática, então nosso estado natural é o de ter sentimentos pelos outros. Pode ser que, quando deixamos de desenvolver empatia, estejamos de fato suprimindo um impulso natural. As defesas carnistas, então, podem na realidade ir contra nossa natureza.

Da Apatia à Empatia

Todos os sistemas violentos são ameaçados por testemunhos em massa porque sua sobrevivência depende do oposto: da *dissociação* em massa. A dissociação é a defesa fundamental do carnismo, o centro do entorpecimento psíquico; todas as outras defesas dão suporte a esse mecanismo central. A dissociação está psicológica e emocionalmente se desconectando da verdade de nossa experiência; é o sentimento de não estar totalmente "presente" ou consciente.

Como outros mecanismos, a dissociação é às vezes *adaptativa* ou benéfica. Por exemplo, quando um indivíduo está sendo vítima de alguma coisa, ele com frequência se dissocia automaticamente para não ser dominado pelo estresse. Ele pode descrever essa sensação como um "desligamento completo" ou uma "experiência fora do corpo". Mas como outros mecanismos, a dissociação pode ser *inadaptativa*; pode ser usada para perpetuar a violência, não para responder a ela. Em sua forma mais extrema, a dissociação pode permitir que um perpetrador desenvolva uma dupla identidade, com um segundo "eu" que toma a frente quando ele está violentando outros. O psiquiatra Robert Jay Lifton discute esse fenômeno em seu livro *The Nazi Doctors,* no qual descreve médicos que trabalhavam como matadores de dia, mas eram capazes de voltar para casa, para suas famílias, como maridos e pais aparentemente normais. A maioria das pessoas, contudo, não dissocia no nível necessário para matar outros; simplesmente dissociamos o suficente para dar suporte à matança que é realizada por outros. Quando se trata de comer carne, a dissociação nos impede de ligar os pontos entre o que estamos fazendo e como poderíamos realmente estar nos sentindo. No essencial, a dissociação nos torna menos capazes de fazer escolhas que reflitam o que realmente sentimos.

Não causaria surpresa que o preço de nossa dissociação não fosse pago unicamente pelos animais que comemos. A dissociação limita nossa autoconsciência, representando assim um obstáculo para nosso crescimento pessoal. Praticamente todas as tradições psicológicas e espirituais consideram a ligação consigo mesmo ou *integração* o objetivo do desenvolvimento humano. A integração é a síntese de diferentes aspectos de nós mesmos num todo harmonioso: corpo, mente e espírito; id, ego e superego; valores, crenças e comportamentos; e assim por diante. Como a dissociação, a integração não é um fenômeno tudo-ou-nada. Ela existe num *continuum.* Quanto mais integrados estamos, mais consistente é nosso caráter. Por exemplo, se estamos adequadamente integrados, não somos no local de trabalho pessoas essencialmente diferentes do que somos em casa ou com nossos amigos.

O testemunho cultiva a integração, visto que é um ato de conexão. Isso acontece num nível individual, pois nos conectamos à nossa experiência interior, e também num nível social, pois nos conectamos à experiência dos outros. É por isso que testemunhar é o calcanhar de aquiles do carnismo: afasta a dissociação e leva a uma sociedade mais integrada. Uma sociedade integrada não pode consistir de pessoas que se preocupam com os animais e, no entanto, dão suporte a uma crueldade generalizada contra os animais.

Testemunhando nossa Resistência

Apesar da força transformadora do testemunho, muita gente resiste a dar testemunho da realidade do carnismo. Para superar essa resistência, temos de compreender suas fontes – temos de testemunhar nossa resistência.

A razão mais óbvia para nossa resistência é que o sistema está organizado para fortalecê-la. No Capítulo 5, discutimos como os sistemas dominantes moldam nossos pensamentos, sentimentos e comportamentos, mostrando os invisíveis "caminhos do menor esforço" que devemos seguir. Esses caminhos ditam o modo "normal" de ser, o que significa acreditar nos princípios do sistema e agir de acordo com eles. Os sistemas dominantes mantêm sua dominação coagindo-nos a agir de acordo com a norma. Testemunhar é desviar-se do caminho do menor esforço.

Outro motivo pelo qual resistimos a dar testemunho da verdade do carnismo é que testemunhar causa dor. Tomar consciência do sofrimento intenso de bilhões de animais e de nossa própria participação nesse sofrimento pode trazer à tona emoções dolorosas: dor e remorso pelos animais, raiva com relação à injustiça e a fraude do sistema, desespero ante a enormidade do problema, medo de que autoridades e instituições que parecem confiáveis sejam, de fato, indignas de confiança, e culpa por ter contribuído para o problema. Dar testemunho significa optar por sofrer. Na verdade, empatia é literalmente "sentir com". Optar por sofrer é particularmente difícil numa cultura viciada no conforto – uma cultura que ensina que a dor deve ser evitada sempre que possível e que a ignorância é uma bênção. Podemos reduzir nossa resistência a testemunhar prezando mais a autenticidade que o prazer pessoal e mais a integração que a ignorância.

Outra razão para resistirmos a testemunhar a verdade do carnismo é que nos sentimos impotentes para alterar um sofrimento de tal magnitude. É fácil demais nos sentirmos desencorajados se acreditarmos que "resolver" um problema significa promover uma mudança imediata e total. Pense, no entanto, no exemplo da Farm Sanctuary [Abrigo Fazenda]: hoje é uma das principais organizações de proteção aos animais de criação do país, com mais de 200 mil membros e simpatizantes. Mas começou com apenas dois ativistas vendendo cachorros-quentes vegetarianos numa Kombi em 1986. De fato, o ato em si de testemunhar é um ato de ganho de poder; realiza, no mínimo, uma mudança imediata em *nós mesmos*, integrando nossos valores e práticas. Como assinala o ativista vegetariano Eddie Lama: "Entendo que os animais continuarão a sofrer e a morrer... mas não por *minha* causa".[97]

Há uma última razão, talvez mais fundamental, pela qual resistimos a testemunhar a verdade do carnismo: se não nos sentirmos mais com o direito de matar e consumir animais, nossa identidade como seres humanos entra em questão. Testemunhar nos compele a vermos a nós mesmos como fios na teia da vida, não situados no vértice da chamada cadeia alimentar. Testemunhar desafia nosso senso de superioridade humana; obriga-nos a admitir nossa interconectividade com o restante do mundo natural, uma interconectividade que nossa espécie vem, há milhares de anos, se esforçando ao máximo para negar. E, no entanto, testemunhar é em última instância libertar-se. Quando reconhecemos que não somos fragmentos isolados num mundo desconectado, mas parte de um vasto e vivo coletivo, conectamo-nos com um poder muito maior que nosso ego individual. Não sustentamos mais um sistema que está baseado na dominação e sujeição, um sistema que segue o credo de Hitler segundo o qual "aquele que não possui poder perde o direito à vida".[98] Aprendemos, como diz o escritor Matthew Scully, a não medir nossa vida "por coisas apropriadas, subjugadas ou mortas".[99]

O paradoxo é que a razão pela qual resistimos a dar testemunho da verdade do carnismo é a mesma razão pela qual desejamos testemunhar: porque nos *importamos*. Essa é a grande verdade que permanece enterrada sob os elaborados, tortuosos mecanismos do sistema. Como nos importamos, queremos virar o rosto. E como nos importamos, nos sentimos compelidos a dar testemunho. O modo de superar esse paradoxo é integrar nosso testemunho: *devemos testemunhar a verdade do carnismo ao mesmo tempo que testemunhamos para nós mesmos.* Devemos estender a nós a mesma compaixão que nos permitimos sentir pelos animais. Quando, compassivamente, testemunhamos para nós mesmos, testemunhamos nossos sentimentos, mas sem julgamento. Reconhecemo-nos como vítimas num sistema que nos conduziu pelo caminho do menor esforço. Mas também reconhecemos que temos o poder de escolher um caminho diferente: temos a oportunidade de fazer nossas escolhas livremente, sem os constrangimentos psicológicos de um sistema oculto e coercitivo.

Testemunhando o Espírito da Época

Apesar do grande alcance do carnismo, há razão para acreditar que o sistema vai se desestabilizar e que o tempo está maduro para pressionar por transformação. Há várias razões pelas quais desafiar o carnismo é oportuno: maior consciência da crise ambiental, uma preocupação cada vez maior com o bem-estar animal, a credibilidade e a popularidade crescentes do vegetarianismo e a excepcional disponibilidade de informação tanto sobre o carnismo quanto sobre o vegetarianismo.

A produção de carne em grande escala é uma das principais causas de destruição ambiental.[100] Os gases metano emitidos de milhares de depósitos de esterco esgotam a camada de ozônio. O escoamento tóxico de toneladas de substâncias químicas usadas nos animais (hormônios sintéticos, antibióticos, pesticidas e fungicidas) polui o ar e os cursos d'água. Milhares de acres de mata são abertos para permitir a produção de safras de alimentos, levando à erosão da camada superficial do solo e ao desflorestamento. A quantidade de água doce extraída dos reservatórios é maior que a que pode ser reposta. E os fertilizantes químicos penetram em rios e regatos, possibilitando a proliferação de micro-organismos que destroem a vida aquática. Cientistas importantes concordam que o sistema de produção em massa de carne não pode continuar sem causar um colapso do ecossistema. A proteção ambiental tem se tornado uma preocupação cada vez mais importante dos americanos, como pode ser observado na proliferação de produtos, publicações e políticas "verdes". À medida que ficam mais preocupados com a sustentabilidade ecológica, os americanos tornam-se invariavelmente mais preocupados com as práticas carnistas.

Talvez não seja coincidência que os americanos também tenham ficado mais preocupados com o bem-estar animal. Isso é demonstrado pelo imenso número de organizações de proteção aos animais que têm surgido pelo país afora. E apesar do fato de a defesa do bem-estar animal ter geralmente se voltado apenas para as espécies que consideramos de estimação, ela está agora se expandindo para incluir também outros animais. Por exemplo, a maior organização de proteção aos animais do país, a Humane Society of the United States, ostenta agora uma divisão inteira dedicada à proteção dos animais de criação. E a People for the Ethical Treatment of Animals (PETA), uma organização mais radical e francamente anticarnista, converteu-se num nome familiar.

Além disso, o vegetarianismo, outrora considerado uma ideologia extrema e uma dieta de discutível valor nutricional, está conseguindo espaço entre nossas principais correntes de pensamento. Embora os vegetarianos ainda constituam uma minoria da população e muitos profissionais de saúde ainda se apeguem aos mitos carnistas, os que fogem da carne são menos frequentemente marginalizados e patologizados do que teriam sido meramente há uma década. A face do vegetarianismo não é mais a criança florida dos anos 1960; celebridades que vão de *sir* Paul McCartney a Bill Pearl, fisiculturista e cinco vezes Mr. Universo, são embaixadores de um movimento diferente, crescente. E um número cada vez maior de estudos tem obrigado a comunidade médica a admitir que não apenas uma dieta baseda em vegetais pode ser tão saudável quanto uma dieta baseada em carne, mas que há uma boa probabilidade de ser inclusive mais saudável. Sem dúvida a proliferação de publicações, produtos alimentícios e organizações vegetarianas sugere que o movimento está crescendo em tamanho e força. Quem duvidar disso só precisa abrir o dicionário para descobrir que ele agora inclui o termo "vegano" – uma pessoa que evita todos os produtos de origem animal.

Um último motivo nos dizendo que o tempo está maduro para desafiar o carnismo é que a principal defesa do sistema, a invisibilidade, tem se enfraquecido. Está se tornando cada vez mais difícil para as indústrias carnistas esconderem seus segredos do público; os agronegócios, que dependem do controle da informação para sustentar os mitos da carne, são agora desafiados por uma fonte de informação ubíqua, não regulada: a Internet. O carnismo é como o Mágico de Oz: assim que a cortina é puxada revelando o sistema, seu poder praticamente desaparece.

> As Ameaças são REAIS
> As Ameaças se dão AGORA
> O Impacto Potencial é Enorme
>
> – Trecho no final da apresentação *Bem-Estar Animal e Ativismo: O Que Você Precisa Saber*, na Conferência da Carne de 2008 do Food Marketing Institute/American Meat Institute.

Testemunhos em Ação: o que Você Pode Fazer

Como mencionei anteriormente, testemunhar o sofrimento intenso inerente ao carnismo pode fazer a pessoa sentir-se impotente e frustrada. Mas *há* coisas que você pode fazer que terão um impacto direto em sua vida e na vida dos animais de criação, e para esse fim forneci uma lista de recursos no final deste livro.

Há três passos importantes que você pode dar para começar: eliminar ou reduzir seu consumo de produtos de origem animal, dar apoio a uma organização ativista e continuar a se informar e a informar os outros. Embora o ideal fosse eliminar seu consumo de produtos de origem animal, a simples redução da quantidade deles em sua dieta pode ter um impacto significativo sobre os animais e sobre você mesmo; por exemplo, uma pessoa que come carne uma ou duas vezes por mês consome muito menos animais que alguém que come carne diariamente. Sem dúvida, isso ajuda os animais. Mas você também se beneficia, pois se sente mais integrado em seus valores e práticas.

E você não precisa trabalhar sozinho para a mudança. Milhões de pessoas pelo mundo afora estão trabalhando ativamente para abolir o carnismo e nunca foi tão fácil juntar-se a elas. Se não existe em sua região um grupo vegetariano ou uma organização de proteção aos animais, você pode se conectar a uma através da Internet. Envolver-se com uma organização lhe dá opções para contribuir com a causa. Você pode doar dinheiro, auxiliar com trabalho ativista, fazer uma série de coisas para ajudar a reduzir o sofrimento animal.

Talvez ainda mais importante, você pode e deve continuar a aprender e a ensinar outras pessoas. É fácil demais esquecer, cair de novo no casulo do entorpecimento psíquico. Lembre-se: seu esquema carnista vai fazê-lo recuar para a mentalidade carnista; sua consciência da produção de carne diminuirá se você não trabalhar ativamente para se manter informado e tentar aprofundar sua compreensão do problema.* Faça do testemunho o seu credo.

Além do Carnismo

Os mecanismos que permitem o consumo de carne em grande escala não são exclusivos do carnismo. Como assinalei, o carnismo é apenas uma das numerosas ideologias arraigadas ou dominan-

* Manter-se informado não significa expor-se continuamente a imagens chocantes. Uma vez conscientes do sofrimento dos animais de criação, não precisamos nos expor a uma informação potencialmente traumatizante.

tes. E qualquer ideologia dominante que precise da participação de indivíduos que, se fossem mais plenamente informados, talvez preferissem negar-lhe suporte, utiliza os mesmos mecanismos que o carnismo. Assim, compreender o carnismo pode nos ajudar a pensar mais criticamente sobre todos os sistemas de que participamos. Pense nos argumentos e na psicologia que têm possibilitado o ódio e a discriminação generalizados contra os homossexuais, no profundamente arraigado sistema de *apartheid* e no genocídio em Darfur. Em cada um desses casos, a violência tem sido negada, justificada e distorcida para angariar apoio em massa.

O mesmo se aplica ao ato de testemunhar: como as ideologias destrutivas compartilham aspectos estruturais semelhantes, testemunhar contra o carnismo pode nos proporcionar uma moldura para testemunharmos contra outros sistemas. Na verdade, a aptidão para testemunhar ultrapassa o carnismo porque testemunhar não é meramente uma coisa que se *faz*; é como se *é*. Testemunhar não é uma prática isolada, mas um meio de a pessoa se relacionar consigo mesma e com o mundo. É um modo de vida que informa nossas interações com nós mesmos e com os outros. E não há limite para nossa capacidade de testemunhar.* De fato, como testemunhar dá novas forças, quanto mais testemunhamos, maior nossa aptidão para isso. Como a compaixão, nossa capacidade de testemunhar aumenta com a prática.

A Coragem de Testemunhar

Dar testemunho exige coragem. Exige coragem abrir o coração para o sofrimento dos outros e reconhecer que, para o melhor ou o pior, somos parte do sistema em que esse sofrimento tem lugar. Na

---

* Embora o testemunho possa ser às vezes doloroso, ele jamais deveria fazê-lo se sentir emocionalmente inseguro. Testemunhar significa permanecer mental e emocionalmente aberto à experiência de si mesmo e dos outros; não significa forçá-lo a absorver informações profundamente angustiantes. Muitos protetores de animais ficam traumatizados ao se exporem excessivamente aos horrores da produção de carne – esse tipo de testemunho é desnecessário e acaba sendo contraproducente.

verdade, como James O'Dea, ex-diretor da Anistia Internacional, explica:

> A testemunha fica junto daqueles que são feridos e daqueles que são desrespeitados, bem como no meio deles e com eles. A testemunha tem uma extraordinária capacidade de se postar diante das fogueiras do ódio e da violência sem propagar esses elementos. De fato, a forma mais profunda de testemunho é uma espécie de compaixão por todos os seres que sofrem... Na realidade, nunca somos observadores de fora. Estamos juntos dentro da ferida. O que ocorre é que alguns sentem e alguns estão entorpecidos. Estamos dentro da coisa mesma que precisa ser transformada.[101]

Dar testemunho exige a coragem de nos recusarmos a seguir o caminho do menor esforço. Como Emily, a vaca, temos sido conduzidos para uma fila, ensinados a seguir um curso que nos foi mostrado. Mas como Emily, podemos preferir nos desvencilhar da fila e mudar a trajetória de nossa vida. Estivesse você ou não previamente consciente da verdade do carnismo, o fato de ter optado por ler este livro atesta sua coragem de tomar a estrada menos frequentada. A informação contida neste livro é provocadora, polêmica e às vezes profundamente perturbadora, exigindo coragem de quem lhe serve de testemunha.

Dar testemunho exige a coragem de percebermos o potencial do espírito humano. Testemunhar requer que façamos surgir as mais elevadas qualidades de nossa espécie, qualidades como convicção, integridade, empatia e compaixão. É muito mais fácil reter os atributos da cultura carnista: apatia, complacência, egoísmo e a "abençoada" ignorância. Escrevi este livro – em si um ato de testemunho – porque acredito que, como seres humanos, temos o desejo fundamental de fazer esforços para realizarmos o que temos de melhor como pessoas. Acredito que todos e cada um de nós temos a capacidade de agir como vigorosas testemunhas num mundo extremamente carente. Tenho tido oportunidade de interagir com milhares de indivíduos por meio de meu trabalho como professora, escritora e oradora, e por meio de minha vida pessoal. Tenho testemunhado, muitas e muitas vezes, a coragem e a compaixão do chamado americano médio: estudantes anteriormente apáticos que se tornam ativistas apaixonados; pessoas que sempre foram "comedoras de carne" chorando abertamente quando expostas a imagens de crueldade com os animais e nunca mais comendo carne; açougueiros que subitamente associam a carne à sua fonte viva e se tornam incapazes de continuar matando animais; e uma comunidade de carnistas que ajudam uma vaca desertora em sua fuga da carnificina.

Em última análise, dar testemunho requer a coragem de tomar partido. Diante da violência em massa, vai nos caber inevitavelmente um papel: o de vítima ou de perpetrador. Judith Herman argumenta que todos os espectadores são forçados a tomar partido, por sua ação ou inação, e que não existe essa coisa de neutralidade moral. Na verdade, como assinala Elie Wiesel, laureado com o Prêmio Nobel da Paz e sobrevivente do Holocausto: "A neutralidade ajuda o opressor, jamais a vítima. O silêncio encoraja o torturador, jamais o torturado".[102] Testemunhar nos habilita a escolher nosso papel em vez de assumirmos um que nos é atribuído. E embora os que optaram por ficar com a vítima possam sofrer, como Herman diz: "Não pode haver honra maior".[103]

Guia para Discussão em Grupo do Livro

Capítulo 1. Amar ou Comer?

As pessoas tendem a ter diferentes níveis de tolerância para comer tipos ou cortes "incomuns" de carne. Por exemplo, alguns comedores de carne evitam cortes que sejam atípicos (por exemplo, pescoço de peru), enquanto outros são mais "ousados" e propensos a experimentar diferentes tipos de carne. Por que você acha que isso acontece e de que forma a compreensão dessas diferenças pode influenciar o modo como a pessoa discute a ética de comer animais?

- Por que, exatamente, a empatia "faz parte de nosso sentimento do eu" e como podemos, bloqueando nossa empatia com relação a certas espécies, afetar nossa aptidão para a empatia em geral?
- Antes de ler a cena do jantar na abertura do livro, você algum dia já havia se perguntado por que come certos animais e outros não? Se não, por quê? E em caso positivo, quando e por quê?
- Houve algum momento em sua vida em que você tenha sentido certo desconforto ao comer tipos e cortes "normais" de carne? Por quê? Como você reagiu a esse desconforto?
- Houve algum momento em sua vida no qual você teve uma imagem negativa de vegetarianos ou veganos? Qual era a imagem que você fazia deles e por que acha que abrigou essa crença?

Capítulo 2. Carnismo: "As Coisas São Assim Mesmo"

O especismo é a ideologia em que é considerado apropriado valorizar certos animais em vez de outros. Como o especismo informa o carnismo? Quais são as semelhanças e as diferenças entre essas ideologias?

- O carnismo é o "oposto" de vegetarianismo ou veganismo?
- As feministas foram bem-sucedidas nas tentativas de desafiar o sexismo não sustentando que todos deviam se tornar feministas, mas pondo em foco a ideologia do patriarcado – a ideologia que possibilita o sexismo. A maioria das pessoas não apoia o sexismo, mas também não se considera feminista. Como podem os que querem desafiar o carnismo recorrer a uma estrutura similar?

- O carnismo reconstrói a ingestão de carne para que essa prática não seja vista simplesmente como questão de ética pessoal, mas como o inevitável resultado final de um sistema de crenças profundamente arraigado. Como poderia essa reconstrução fazer da ingestão de animais um problema de justiça social e que implicações isso teria para o ativismo vegano e vegetariano?

Capítulo 3. Como as Coisas *Realmente* São

Este capítulo se concentra no abuso inerente aos confinamentos ou CAFOs, que é onde a maioria da carne é produzida nos Estados Unidos. Você acha que o conceito de carnismo se aplica a propriedades familiares menores? Por que sim ou por que não?

- Como o conceito de carnismo se aplica à carne produzida de forma "humanitária"?* Pode o carnismo ser usado como um meio de desafiar este rótulo?
- Este capítulo pode ser difícil de ler, pois dá descrições bastante realistas de crueldade com os animais. Como a leitura desse capítulo o afetou? O que ele teve de mais interessante ou de mais chocante?

Capítulo 4. Efeito Colateral: as Outras Vítimas do Carnismo

Este capítulo descreve as consequências do carnismo para os direitos humanos e para o meio ambiente. Como podem os que se preocupam com o bem-estar animal usar o conceito de carnismo para estender a mão ou se aliar aos que trabalham em prol dos direitos humanos e da justiça ambiental?

- *Lobbies* do agronegócio desempenham um papel fundamental na manutenção do poder econômico e legislativo da indústria agropecuária, assim como os *lobbies* dos cigarros têm feito para a indústria do fumo. Como pode a colocação da ingestão de animais como ideologia ajudar a desafiar os lobistas e a legislação pela qual eles se batem, como os subsídios à carne?

---

* Referência à carne que, nos Estados Unidos, recebe o "Certified Humane", um selo garantindo que a carne teria sido produzida atendendo a padrões humanitários de criação, manejo, transporte e abate dos animais. (N. do T.)

- A "rotinização" é comum entre os que trabalham na indústria frigorífica. Você acha que a rotinização também desempenha um papel na experiência dos consumidores de carne?

Capítulo 5. A Mitologia da Carne: Justificando o Carnismo

O movimento de sustentabilidade, anunciado por gente como Michael Pollan (*The Omnivore's Dilemma* [O Dilema do Onívoro]), opõe-se ao confinamento, mas apoia e inclusive celebra a morte e o consumo de (certos) animais. Pollan, por exemplo, disse que a caça é uma expressão perfeita da ordem natural da vida: "[...] o homem nada fizera para criar esta cadeia alimentar, só assumira um papel preparado havia longo tempo para o Predador" (p.362-63). Ele diz também que a ambivalência moral do caçador é o que torna a caça louvável (p.361). Como o conceito de carnismo se aplica ao movimento de sustentabilidade? Qual dos Três Ns (comer carne é *n*ormal, *n*atural e *n*ecessário) dá melhor apoio na defesa do "ecocarnismo"?

- Você acredita que não faz mal consumir a carne de animais criados em produção de pequena escala? Em caso positivo, por que acredita? Se não, por quê? Você acha que o conceito de carnismo se aplica a essa produção? Por que sim ou por que não?
- Michael Pollan disse também que, embora parte dele inveje a coerência moral dos vegetarianos, outra parte tem pena dos vegetarianos porque "sonhos de inocência são justamente isso; geralmente dependem de uma negação da realidade que pode ser sua própria forma de arrogância" (p.362). Como esse comentário pode ser interpretado através da lente do carnismo?
- Pessoas diferentes são diferentemente afetadas pelos Ns; algumas pessoas são mais influenciadas por um N do que outras. Quais Ns mais o influenciaram? Como pôde essa compreensão admitir desdobramentos veganos e vegetarianos?
- Uma habitual justificativa carnista, não mencionada no livro, é o argumento de que se as plantas são sencientes (como se acredita que certas pesquisas sugiram), então comer animais não é diferente de comer plantas. Como o argumento "as plantas também

sofrem" é usado para dar apoio ao carnismo e como se pode responder a essa justificativa?

- Como a quantidade de vida vegetal para alimentar os animais que são consumidos por humanos é muitíssimo maior que a que seria necessária se os humanos comessem os vegetais diretamente, não se pode argumentar que o carnismo vitima tanto as plantas quanto os animais?

Capítulo 6. Através do Espelho Carnista: o Carnismo Interiorizado

Será que os ovolactovegetarianos, que consomem produtos lácteos de certos animais e os ovos de certas aves, servem-se do entorpecimento carnista? Como e por quê?

- Você acha que deu um passo para fora da matriz carnista? Se acha, o que o induziu a isso? Foi um evento único ou uma série de eventos? Se não conseguiu, por quê?

Capítulo 7. Dando Testemunho: do Carnismo à Compaixão

Testemunhar é a pedra angular da justiça social. Mas apenas testemunhar não é o bastante. De que modo nós, como testemunhas, podemos trabalhar em prol da justiça para os animais e outras vítimas?

- Servir em excesso de testemunha é uma experiência comum entre os que estão trabalhando para a mudança social e pode levar a um trauma e a um esgotamento. Quais são os meios de reconhecer e evitar um excesso de testemunho?
- De que maneira podemos continuar a ser testemunhas ativas sem nos estressarmos?
- Como podemos criar uma atmosfera que ajude outros a avançar para um estado de disposição para testemunhar?
- Talvez você não se sinta inteiramente convencido de que o ato de comer carne é instrumentado pelo carnismo. Se não é esse o caso, o que o está segurando?

RECURSOS

I. Transitando para uma Dieta sem Carne

The Ultimate Vegan Guide: Compassionate Living without Sacrifice [O Guia Vegano Definitivo: Viver com Compaixão e sem Sacrifício], de Erik Marcus
Esse livro curto, de leitura fácil, diz aos leitores tudo o que eles precisam saber para adotar um estilo de vida saudável, livre de carne. Os tópicos cobertos incluem razões para parar de comer carne, culinária, nutrição, compra de alimentos, sair para jantar e muito mais.

Physicians Committee for Responsible Medicine – PCRM [Comissão de Médicos por uma Medicina Responsável]
www.pcrm.org
Esse site oferece kits para o iniciante vegetariano, dicas para reduzir o consumo de carne e um volume incrível de excelente informação para a saúde e a nutrição.

Vegetarian Resource Group – VRG [Grupo de Recursos Vegetarianos]
www.vrg.org
Aqui você pode encontrar respostas a perguntas frequentes sobre modo de vida e nutrição vegetarianos, informação sobre ingredientes de origem animal nos alimentos, amostras de menus e arquivos com artigos sobre uma série de questões referentes ao vegetarianismo.

www.NewVeg.av.org
Esse site é uma mina de ouro de informações e inclui dicas para quem quer transitar para uma dieta sem carne, informação sobre mudanças alimentares graduais ou abruptas, sobre como administrar a ânsia inicial por certos alimentos, considerações sobre a manutenção de uma dieta sem carne, abordagem dos novos sentimentos acerca da carne e do vegetarianismo e muito mais.

Vegetarian Times Vegetarian Beginner's Guide [Guia do Iniciante Vegetariano do *Vegetarian Times*]
Essa é uma excelente introdução ao estilo de vida vegetariano, escrita pelos editores da revista *Vegetarian Times*. Responde a questões sobre suplementos vitamínicos, sobre diferentes tipos de vegetarianismo e apresenta ideias para sua despensa, receitas e cardápios, ao mesmo tempo que desmascara concepções errôneas sobre o vegetarianismo. É um livro em brochura, disponível na Amazon.

People for the Ethical Treatment of Animals – PETA [Pessoas pelo Tratamento Ético dos Animais]
www.peta.org
www.goveg.com
Esse é um site enorme, cheio de informações sobre uma variedade de questões relativas aos animais. O site oferece um *kit* para o iniciante vegetariano, um blog de culinária vegetariana e um grande número de outros recursos.

VegFamily
www.vegfamily.com
Essa excelente revista *on-line* tem grande fartura de informação, para toda a família, sobre o modo de vida vegetariano. Há dicas para futuras mamães, para a criação vegetariana de bebês e crianças e para o preparo de refeições saudáveis para a família. O site também hospeda um fórum de discussão e oferece uma ampla variedade de recursos para vegetarianos.

Vegetarianteen.com
Esse site ajuda adolescentes vegetarianos a fazerem contato uns com os outros e fornece uma riqueza de informações voltadas especificamente para o público jovem. Há livros e resenhas, dicas sobre como se vestir sem participação animal e informação para pais que estão preocupados com a opção feita pelos filhos de parar de comer carne.

Dr. John McDougall
www.drmcdougall.com
O dr. McDougall tem muitos artigos, livros e DVDs disponíveis sobre comida vegetariana saudável.

II. Substitutos Vegetarianos para Produtos de Origem Animal

Hoje é possível encontrar um substituto vegetariano para praticamente qualquer produto de origem animal. Como cada produto tem um gosto e uma textura diferentes, é melhor experimentar uma série deles para ver qual você prefere. Alguns são tão realistas que mesmo o comedor de carne mais empedernido não consegue sentir a diferença; outros não pretendem ser parecidos com a carne. E como acontece com qualquer tipo de alimento, esses produtos se enquadram em diferentes faixas de preço, alguns sendo muito mais acessíveis que outros.

Algumas das marcas [norte-americanas] de sabor mais "realista" incluem Boca, Tofurkey, Lightlife, Yves, Tofutti, Field Roast, Silk, So Decadent, Morningstar Farms, Earth Balance e Vegenaise. Em seu site (*www.vrg.org*), o Vegetarian Resource Group tem um *link* para uma longa lista de substitutos da carne, dos laticínios e dos ovos. Também em *www.veganwolf.com*, você pode encontrar informação sobre como converter receitas baseadas em carne em receitas baseadas em vegetais, listas e apreciações de alimentos substitutos e dicas sobre como cozinhar sem produtos de origem animal. Uma página do site da PETA, *www.peta.org/accidentallyvegan*, relaciona muitos itens habitualmente consumidos que são feitos sem produtos de origem animal, de flocos de milho a pizzas congeladas. E em *www.Vegan-Essentials.com*, podemos encontrar produtos que não são de origem animal para compra, de marshmallows a sapatos.

Seguem alguns substitutos vegetarianos que podemos experimentar:

De Origem Animal	Vegetariano*
Manteiga	Earth Balance, Smart Balance [margarinas veganas]
Misturas (panqueca, biscoito, bolo)	Misturas da Cherrybrook Kitchen
Queijo cremoso	Tofutti ou Soy Kaas Cream Cheese [alimentos com tofu, isto é, queijo de soja]
Maionese	Vegenaise ou Nayonaise [maioneses veganas, feitas sem ovos]
Ovos (para cozinhar)	Ener-G Egg Replacer
Iogurte	Iogurte de Soja (Trader Joe's, So Delicious, Stonyfield Farm O'Soy, Silk)
Leite e creme (mistura)	Silk Creamer
Leite	Silk Soy Milk [leite de soja]
Creme chantili	Soy Whip [chantili de leite de soja]
Chocolate ao leite	Chocolate amargo
Hambúrguer	Boca Burger, Morningstar Farms Griller's Prime [vegetais grelhados, hambúrgueres feitos com proteína de soja]
Cachorro-quente	Yves Hot Dogs [salsichas de soja, como a salsicha vegetal da Superbom]
Salsicha	Salsichas da Field Roast, Tofurkey, Gimme Lean e Morningstar Farms
Nuggets de frango	Boca Chick'n Nuggets (ou Patties) [nuggets ou patitas de soja]
Frios e fatiados	Tofurkey, fatiados Smart Deli da Lightlife
Tirinhas de carne/filés	Morningstar Farms Meal Starters (vem também como filezinhos de frango)
Costelas na grelha	Morningstar Farms Hickory BBQ Riblets

* A autora indica marcas disponíveis no varejo norte-americano. Os produtos podem ser encontrados no Brasil, com marcas diferentes ou importados, com a mesma marca. As observações entre colchetes que constam do quadro são do tradutor. (N. do T.)

III. Dicas para a Compra de Mantimentos e para Jantar Fora

O **Vegetarian Resource Group** [Grupo de Recursos Vegetarianos] oferece soluções para problemas comuns enfrentados por vegetarianos, como comprar mantimentos, comer fora de casa e viajar. Em seu site estão relacionadas cadeias de restaurantes simpáticas aos vegetarianos, guias de restaurantes *on-line* e dicas sobre como ler os rótulos dos alimentos quando você está evitando produtos de origem animal.

A cadeia [presente nos Estados Unidos] de mercados **Trader Joe's** oferece, em *www.traderjoes.com*, listas imprimíveis de todos os produtos vegetarianos que vende. Também nas lojas há cópias dessas listas.

Em ***www.vegan.com***, você pode encontrar uma lista de todos os ingredientes de origem animal ou que são subprodutos animais, como soro de leite e sebo.

A maioria das principais cadeias de mercados tem agora uma série de substitutos vegetarianos para os alimentos e alguns produtos estão disponíveis para compras *on-line*.

Quando se come fora, é útil saber que pratos frequentemente ou sempre têm produtos de origem animal. Por exemplo, o risoto quase sempre é feito com queijo e o arroz pode ser cozido em caldo de galinha. É sempre uma boa ideia ligar antes perguntando se o restaurante oferece opções vegetarianas e, quando não, se o *chef* prepararia algo para você. Em muitos restaurantes, não é difícil pedir uma refeição vegetariana, que é preparada sob encomenda.

IV. Organizações que Promovem o Vegetarianismo e o Bem-Estar dos Animais de Criação

Há uma grande variedade de organizações que promovem o vegetarismo e o bem-estar dos animais de criação. Segue abaixo uma breve lista de grupos um tanto diversos.

Farm Sanctuary [Abrigo Fazenda]
www.farmsanctuary.org
Farm Sanctuary é uma organização de resgate e reserva de animais de criação. Oferece informações sobre campanhas para animais de criação e também sobre vegetarianismo, educação e proteção.

The Humane Farming Association [Associação Humanitária de Agropecuária]
www.hfa.org
Este site traz informações sobre as CAFOs, legislação para o bem-estar de animais de criação, boicotes e oportunidades para ajudar a melhorar a vida de animais de criação.

FARM – Farm Animal Rights Movement [Movimento pelos Direitos dos Animais em Fazendas]
FARM oferece informações sobre campanhas para o bem-estar dos animais de criação, sobre vegetarianismo e oportunidades para pessoas que queiram participar do movimento.

Jewish Veg [Vegetariano Judaico]
www.jewishveg.com
Este site fornece informações sobre judaísmo e vegetarianismo, incluindo informações sobre alimentação *kosher*.

The Christian Vegetarian Association [Associação Vegetariana Cristã]
www.christianveg.com
Este é um site onde os vegetarianos cristãos podem se encontrar e achar informações relacionando cristianismo e vegetarianismo.

International Vegetarian Union [União Vegetariana Internacional]
www.ivu.org
Este site tem informações sobre o vegetarianismo pelo mundo afora, incluindo informações para viajantes vegetarianos.

North American Vegetarian Society – NAVS [Sociedade Vegetariana Norte-Americana]
www.navs-online.org
NAVS proporciona material de reforço e informação sobre eventos vegetarianos, modo de vida vegetariano e horticultura e lavoura veganas, além de muito mais.

Humane Society of the United States – HSUS [Sociedade Humanitária dos Estados Unidos]
www.hsus.org
A HSUS tem agora uma divisão com grande riqueza de informações sobre a vida de animais de criação, bem como sobre campanhas e legislação. Traz também uma série de receitas vegetarianas.

V. Leituras e Vídeos Recomendados

Há inúmeros livros e DVDs sobre filosofia, culinária e saúde vegetarianas. Abaixo estão alguns com os quais talvez você queira começar (referências mais detalhadas na bibliografia).

Living Among Meat Eaters [Vivendo entre Comedores de Carne], **de Carol J. Adams**
Um excelente livro para ajudar vegetarianos novos e experientes a se situar num mundo carnista. Inclui dicas para conversar com comedores de carne, comer em grupos mistos e ganhar força pessoal como vegetariano.

How to Eat Like a Vegetarian Even If You Never Want To Be One: More Than 250 Shortcuts, Strategies, and Simple Solutions [Como Comer como um Vegetariano Mesmo se Você Jamais Quiser ser um Deles: Mais de 250 Atalhos, Estratégias e Soluções Simples], **de Patti Breitman e Carol J. Adams**
Um excelente guia para vegetarianos iniciantes, com dicas de maneiras simples de fazer refeições sem carne, listas e tabelas sobre nutrição e ingredientes, e uma série de recursos práticos para uma alimentação saudável.

Thanking the Monkey [Agradecendo ao Macaco], **de Karen Dawn**
Um livro completo, extremamente elogiado, sobre questões do bem-estar animal, incluindo as que dizem respeito a animais de fazenda.

Vegana: The New Ethics of Eating [Vegana: a Nova Ética de Alimentação], **de Erik Marcus**
Uma obra básica sobre veganismo. Breve, mas cheia de informações valiosas.

The Food Revolution [A Revolução da Comida], **de John Robbins**
Um guia abrangente para um modo de vida saudável, vegetariano.

Dominion [Domínio], **de Matthew Scully**
Uma "defesa conservadora" dos direitos animais. Scully mostra por que os conservadores políticos devem se preocupar com o bem-estar dos animais.

Animal Liberation [Libertação Animal], **de Peter Singer**
Obra clássica e básica para qualquer pessoa interessada em bem-estar animal.

DVDs sobre nutrição e saúde do dr. Michael Greger
A mais atraente, divertida e informativa seleção de DVDs sobre os perigos de consumir produtos de origem animal e os benefícios do vegetarianismo. Disponível em *www.drgreger.org*

DVDs da Tribe of Heart
Documentários profundamente comoventes sobre a vida de animais explorados por humanos. Disponíveis em *www.tribeofheart.org*

Food, Inc. [Alimentação SA]
Vigoroso documentário realizado por Robert Kenner sobre a indústria agropecuária. Com a participação de Eric Schlosser e Michael Pollan.

NOTAS

1. Lotte Holm e M. Mohl, "The Role of Meat in Everyday Food Culture: An Analysis of an Interview Study in Copenhagen", *Appetite* 34 (2000), pp. 277-83.

2. Nick Fiddes, *Meat: A Natural Symbol* (Nova York, Rutledge, 1991); Peter Farb e George Armelagos, *Consuming Passions: The Anthropology of Eating* (Boston, Houghton Mifflin, 1980); Frederick J. Simoons, *Eat Not This Flesh: Food Avoidances in the Old World* (Madison, University of Wisconsin Press, 1961); "Food Taboos: It's All a Matter of Taste", *National Geographic News, http://news.national geographic.com/news/2004/04/0419_040419_TVfoodtaboo.html;* Fessler, Daniel, M. T. Navarrette e Carlos David Navarrette, "Meat is Good to Taboo: Dietary Proscriptions as a Product of the Interaction of Psychological Mechanisms and Social Processes", *Journal of Cognition and Culture* 3.1 (2003), pp. 1-40, *http://www.sscnet.ucla.edu/anthro/faculty/fessler/pubs/MeatIsGoodToTaboo.pdf* (acesso em 26 de março de 2009).

3. Farb e Armelagos; Simoons; Daniel Kelly, "The Role of Psychology in the Study of Culture", *Purdue University,* disponível em *http://web.ics.purdue.edu/~drkelly/KellyMacheryMallonMasonStichCommentonMesoudietal.htm* (acesso em 26 de março de 2009).

4. Citado em Dave Grossman, *On Killing: The Psychological Cost of Learning to Kill in War and Society* (Nova York, Back Bay Books, 1996), p. 12.

5. Grossman, Martha Stout, *The Sociopath Next Door* (Nova York, Broadway Books, 2005).

6. Grossman, p. 15.

7. Ver estatísticas da Humane Society of the United States sobre confinamento para estatísticas sobre consumo de carne e abate de animais, disponíveis em *http://www.hsus.org/farm.*

8. U.S. Department of Agriculture, Grain Inspection, Packers, and Stockyards Administration (GIPSA), 30 de março de 2009, *http://www.gipsa.usda.gov/GIPSA/webapp?area=newsroom&subject=landing&topic=cc-budget-03*. Depoimento de David R. Shipman, administrador interino da Grain Inspection, Packers, and Stockyards Administration perante a Subcomissão de Agricultura, Desenvolvimento Rural e Atividades Afins, com referência à proposta de orçamento FY 2003.

9. Daniel Zwerdling, "A View to a Kill", *Gourmet* (junho de 2007), disponível em *http://www.gourmet.com/magazine/2000s/2007/06/aviewtoakill* (acesso em 26 de março de 2009). Ver também Kim Severson, "Upton Sinclair, Now Playing on You Tube", *The New York Times*, 12 de março de 2008, disponível em *http://www.nytimes.com/2008/03/12/dining/12animal.html?pagewanted=2&_r=1* (acesso em 26 de março de 2009).

10. Eric Schlosser, "Fast Food Nation: Meat and Potatoes", *Rolling Stone*, 3 de setembro de 1998, disponível em *http://www.ericsecho.org/investigation2.htm* (acesso em 13 de março de 2009).

11. Estudo citado pela Humane Society of the United States, disponível em *http://www.hsus.org/farm/resources/animals/pigs/pigs.html.*

12. Para informações sobre a PSS, ver Tammy McCormick Donaldson, "Is Boredom Driving Pigs Crazy?", The University of Idaho College of Natural Resources, disponível em *http://www.cnr.uidaho.edu/range556/Appl_BEHAVE/projects/pigs_ster.html* (acesso em 26 de março de 2009) e Wayne Du, "Porcine Stress Syndrome Gene and Pork Production", Ontario Ministry of Agriculture Food and Rural Affairs, junho de 2004, disponível em *http://www.omafra.gov.on.ca/english/livestock/swine/facts/04-053.htm* (acesso em 27 de março de 2009). Para informações sobre a base genética do TEPT, ver Aimee Midei, "Identification of the First Gene in Posttraumatic Stress Disorder", *Bio-medicine.org*, 22 de setembro de 2002, *http://news.bio-medicine.org/biology-news-2/Identification-of-the-first-gene-in-posttraumatic-stress-disorder-6692-1/...* (acesso em 27 de março de 2009).

13. Wayne Du, Ontario Ministry of Agriculture Food and Rural Affairs, junho de 2004, disponível em *http://www.omafra.gov.on.ca/english/livestock/swine/facts/04-053.htm* (acesso em 27 de março de 2009).

14. Joe Vansickle, "Preparing Pigs for Transport", *The National Hog Farmer*, 15 de setembro de 2008, disponível em *http://nationalhogfarmer.com/behavior-welfare/0915-preparing-pigs-transport/* (acesso em 26 de março de 2009).

15. Gail Eisnitz, *Slaughterhouse: The Shocking Story of Greed, Neglect, and Inhumane Treatment Inside the U.S. Meat Industry* (Ahmherst, NY, Prometheus Books, 1997), pp. 102-04.

16. Schlosser, "Fast Food Nation: Meat and Potatoes".

17. Eisnitz, p. 68.

18. *Ibid.*, p. 84.

19. Eisnitz, p. 93.

20. David Irvin, "Control Debate, Growers Advised", *Arkansas-Democrat Gazette*, Northwest Arkansas edition, 22 de setembro de 2007, disponível em *http://www.nwanews.com/adg/Business/202171/* (acesso em 26 de março de 2009).

21. Citado em Joan Dunayer, *Animal Equality: Language and Liberation* (Derwood, MD, Ryce Publishing, 2001), p. 138.

22. *Ibid.*, p. 137.

23. *Idem.*

24. Citado em Fiddes, p. 96.

25. Michael Pollan, *The Omnivore's Dilemma: A Natural History of Four Meals* (Nova York, Penguin, 2006), p. 72.

26. *Ibid.*, p. 69.

27. Ver Clyde Lane, Jr. e outros, "Castration of Beef Calves", *TheBeefSite.com: The Website for the Global Beef Industry*, janeiro de 2007, *http://www.thebeefsite.com/articles/930/castration-of-beef-calves.*

28. Michael Pollan, "Power Steer", *The New York Times,* cad. 6, 31 de março de 2002; "Pollution from Giant Livestock Farms Threatens Public Health", National Resources Defense Council, 15 de julho de 2005, *http://www.nrdc.org/water/pollution/nspills.asp* (acesso em 26 de março de 2009).

29. Eisnitz, p. 46.

30. *Ibid.*, pp. 43-4.

31. Schlosser, "Fast Food Nation: Meat and Potatoes".

32. Joby Warrick, "They Die Piece by Piece", *The Washington Post,* 10 de abril de 2001, disponível em *http://www.hfa.org/hot_topic/wash_post.pdf* (acesso em 26 de março de 2009).

33. Ver Sandra Blakeslee, "Minds of Their Own: Birds Gain Respect", *The New York Times,* 1º de fevereiro de 2005, disponível em *http://www.nytimes.com /2005/02/01/science/01bird.html* (acesso em 31 de março de 2009).

34. Josh Balk, "COK Investigation Exposes Chicken Industry Cruelty; Undercover Footage of Perdue Slaughter Plant Reveals Routine Abuse", Compassion Over Killing, *http://www.cok.net/camp/inv/perdue/notes.php.*

35. Para informações sobre estudos acerca da dor discutidos nesta seção, ver K. J. S. Anand, D. Phil e P. R. Hickey, "Pain and Its Effects in the Human Neonate and Fetus", *CIRP.org:* The Circumcision Reference Library, 5 de setembro de 2006, disponível em *http://www.cirp.org/library/pain/anand/* (acesso em 27 de março de 2009); K. J. S. Anand, D. Phil e P. R. Hickey, "Pain and Its Effects in the Human Neonate and Fetus", *New England Journal of Medicine* 317.21 (novembro de 1987), 1321-1329, *http://www.cirp.org/library/pain/anand/* (acesso em 27 de março de 2009).

Liz Austin, "Whole Foods Bans Sale of Live Lobsters", *CBSnews.com,* 16 junho de 2006, *http://www.cbsnews.com/stories/2006/06/16/ap/business/mainD8199PROO.shtml* (acesso em 27 de março de 2009); David B. Chamberlain, "Babies Remember Pain", *CIRP.org:* The Circumcision

Reference Library, 15 de dezembro de 2006, *http://www.cirp.org/library/psych/chamberlain/* (acesso em 27 de março de 2009); David B. Chamberlain, "Babies Remember Pain", *Journal of Prenatal and Perinatal Psychology and Health* 3.4 (1989), pp. 297-310, *http://www.cirp.org/library/psych/chamberlain* (acesso em 27 de março de 2009).

J. P. Chambers e outros, "Self-Selection of the Analgesic Drug Carprofen by Lame Broiler Chickens", *The Veterinary Record* 146.11 (2000), pp. 307-11. Ver também Mary T. Phillips, "Savages, Drunks, and Lab Animals: The Researcher's Perception of Pain", *Society and Animals* 1.1 (1993), 61-81.

36. Jia-rui Chong, "Wood-Chipped Chickens Fuel Outrage", *Los Angeles Times,* 22 de novembro de 2003, disponível em *http://articles.latimes.com/2003/nov/22/local/me-chipper22* (acesso em 26 de março de 2009).

37. American Veterinary Medical Association, "Welfare Implications of the Veal Calf Husbandry", 13 de outubro de 2008, disponível em *http://www.avma.org/issues/animal_welfare/veal_calf_husbandry_bgnd.asp* (acesso em 27 de março de 2009).

38. Eisnitz, p. 43.

39. Para as informações desta seção sobre as aptidões cognitivas dos animais marinhos, ver o site da Humane Society of the United States, disponível em *http://www.hsus.org/farm/resources/animals/*. Ver também Culum Brown, Kevin Laland e Jens Krause, orgs., *Fish Cognition and Behavior* (Oxford, UK, Blackwell Publishing, 2006), para uma discussão em profundidade das aptidões cognitivas dos peixes, e Jeffrey Masson, *The Face on Your Plate: The Truth About Food* (Nova York, W. W. Norton, 2009).

40. Para as informações desta seção sobre a senciência dos animais marinhos, ver "Fish May Actually Feel Pain and React to It Much Like Humans Do", *Science Daily,* 1º de maio de 2009, *http://www.sciencedaily.com/releases/2009/04/090430161242.htm* (acesso em 4 de junho de 2009). Esse artigo traz uma descrição detalhada do estudo sobre a resposta do peixinho dourado a temperaturas mais elevadas. Ver também Alex Kirby, "Fish Do Feel Pain, Scientists Say", BBC News Online, *http://news.bbc.*

co.uk/2/hi/science/nature/2983045.stm (acesso em 4 de junho de 2009). Esse artigo discute a primeira prova conclusiva da existência de receptores de dor em peixes e relata o estudo onde foi injetada uma substância ácida em lábios de peixes. O artigo original sobre a injeção no lábio dos peixes foi extraído de L. U. Sneddon, V. A. Braithwaite e M. J. Gentle, "Do Fishes Have Nociceptors? Evidence for the Evolution of a Vertebrate Sensory System", *Proceedings of the Royal Society of London*, B 270, 1520 (7 de junho de 2003), pp. 1115-121.

41. Para informações sobre a pesca comercial e fazendas aquáticas, ver Ken Jacobsen e Linda Riebel, *Eating to Save the Earth: Food Choices for a Healthy Planet* (Berkeley, CA, Celestial Arts, 2002). Ver também Marcus, *Meat Market*, The Humane Society of the United States, em *http://www.hsus.org/farm/resources/animals/*, e Masson, The Face on Your Plate.

42. Para informações sobre a legislação relativa ao gado incapaz de locomoção, ver "Judge Rules Recumbent Pigs May Be Processed", *Thepigsite.com*, 3 de fevereiro de 2009, *http://www.thepigsite.com/swine-news/20475/judge-rules-recumbent-pigs-may-be-processed;* The Humane Society of the United States, Factory Farming Campaign, *http://www.hsus.org/farm.*

43. Damien McElroy, "Korean Outrage as West Tries to Use World Cup to Ban Dog Eating", *Telegraph*, 6 de janeiro de 2002, disponível em *http://www.telegraph.co.uk/news/worldnews/europe/france/1380569/Korean-outrage-as-West-tries-to-use-World-Cup-to-ban-dog-eating.html* (acesso em 26 de março de 2009).

44. LJ, "Stop the Dog Meat Industry", ASPCA Online Community, 18 de fevereiro de 2009, *http://aspcacommunity.ning.com/forum/topics/stop-the-dog-meat-industry* (acesso em 26 de março de 2009).

45. Schlosser, "Fast Food Nation: Meat and Potatoes".

46. Ver Dan Morgan, Gilbert M. Gaul e Sarah Cohen, "Harvesting Cash: A Year-Long Investigation into Farm Subsidies", *The Washington Post*, 2006, disponível em *http://www.washingtonpost.com/wp-srv/nation/interactives/farmaid/* (acesso em 25 de março de 2009). Ver também "EWG Farm Bill 2007 Policy Analysis Data-base", Environmental Working

Group, *http://farm.ewg.org/sites/farmbill2007/* (acesso em 25 de março de 2009).

47. Para informações sobre as condições de trabalho na indústria frigorífica, ver Human Rights Watch, "Blood, Sweat and Fear", *HRW.org,* 24 de janeiro de 2005, *http://www.hrw.org/en/node/11869/section/5* (acesso em 27 de março de 2009); Lance Compa e Jamie Fellner, "Meatpacking's Human Toll", *The Washington Post,* 3 de agosto de 2005, disponível em *http://www.washingtonpost.com/wp-dyn/content/article/2005/08/02/AR2005080201936.html* (acesso em 27 de março de 2009); Megan Feldman, "Swift Meat Packing Plant and Illegal Immigrants", *The Houston Press,* 4 de abril de 2007, disponível em *http://www.houstonpress.com/2007-04-05/news/swift-meatpacking-plant-and-illegal-immigrants/* (acesso em 27 de março de 2009); Jeremy Rifkin, *Beyond Beef;* Eric Schlosser, *Fast Food Nation: The Dark Side of the All-American Meal* (Nova York, Houghton Mifflin, 2001).

48. Para informações a respeito dos efeitos das CAFOs sobre a saúde humana, ver Mark Bittman, "Rethinking the Meat-Guzzler", *The New York Times,* 27 de janeiro de 2008, disponível em *http://www.nytimes.com/2008/01/27/weekinreview/27bittman.html?_r=2* (acesso em 26 de março de 2009); Jennifer Lee, "Neighbors of Vast Hog Farms Say Foul Air Endangers Their Health", *The New York Times,* 11 de maio de 2003, disponível em *http://www.nytimes.com/2003/05/11/us/neighbors-of--vast-hog-farms-say-foul-air-endangers-their-health.html* (acesso em 26 de março de 2009); Pollan, "Power Steer"; National Resources Defense Council, "Pollution from Giant Livestock Farms Threatens Public Health", 15 de julho de 2005, *http://www.nrdc.org/water/pollution/nspills.asp* (acesso em 26 de março de 2009); e Johns Hopkins Bloomberg School of Public Health, "Public Health Association Calls for Moratorium on Factory Farms; Cites Health Issues, Pollution", 9 de janeiro de 2004, *http://www.jhsph.edu/publichealthnews/press_releases/PR_2004/farm_moratorium.html* (acesso em 26 de março de 2009).

49. Ver Michael Greger, *Bird Flu: A Virus of Our Own Hatching* (Nova York, Lantern Books, 2006); Rifkin; e Union of Concerned Scientists,

"They Eat What? The Reality of Feed at Animal Factories", UCSUSA. org, 8 de agosto de 2006, *http://www.ucsusa.org/food_and_agriculture/science_and_impacts/impacts_industrial_agriculture/they-eat-what-the-reality-of.html* (acesso em 27 de março de 2009).

50. Citado em Justin Ewers, "Don't Read This Over Dinner", *U.S. News and World Report*, 7 de agosto de 2005, disponível em *http://www.usnews.com/usnews/culture/articles/050815/15meat.htm* (acesso em 31 de março de 2009).

51. WGBH Educational Foundation, "What Is HAACP", disponível em *http://www.pbs.org/wgbh/pages/frontline/shows/meat/evaluating/haccp.html* (acesso em 27 de março de 2009). Ver também Rifkin.

52. M. Greger, S. Pao, M. R. Ettinger, M. F. Khalid, A. O. Reid e B. L. Nerrie, "Microbial quality of raw aquacultured fish fillets procured from Internet and local retail markets", *Journal of Food Protection*, agosto de 2008, 71.8,1844-1849.

53. Greger.

54. Rifkin, p. 140.

55. Stephen J. Hedges e Washington Bureau, "E. Coli Loophole Cited in Recalls Tainted Meat Can Be Sold if Cooked", *Chicago Tribune*, 11 de novembro de 2007, disponível em *http://archives.chicagotribune.com/2007/nov/11/food/chi-meat_bdnov11* (acesso em 27 de março de 2009).

56. Human Rights Watch.

57. Ver Karen Gaudette, "USDA Expands Ground-Beef Recall", *The Seattle Times*, 4 de julho de 2008, disponível em *http://seattletimes.nwsource.com/html/nationworld/2008033109_beefrecall04.html* (acesso em 27 de março de 2009); "Nebraska Beef Recalls 1.2 Million Pounds of Beef", MSNBC.com, 10 de agosto de 2008, *http://www.msnbc.msn.com/id/26101733/* (acesso em 27 de março de 2009); e U.S. Department of Agriculture, "Nebraska Firm Recalls Beef Products Due to Possible E. coli 0157:H7 Contamination", 30 de junho de 2008, disponível em *http://www.fsis.usda.gov/News_&_Events/Recall_022_2008_?Release/index.asp* (acesso em 27 de março de 2009).

58. Stephen J. Hedges e Washington Bureau, "Topps Meat Recall Raises Questions About Inspections Workload", *Chicago Tribune*, 14 de outubro de 2007, disponível em *http://archives.chicagotribune.com/2007/oct/14/food/chi-meat_5s_hedgesoct14* (acesso em 27 de março de 2009).

59. Schlosser, "Fast Food Nation: Meat and Potatoes".

60. Eric Schlosser, "The Chain Never Stops", *Mother Jones*, julho/agosto de 2001, disponível em *http://www.motherjones.com/news/feature/2001/07/meatpacking.html* (acesso em 27 de março de 2009).

61. *Idem.*

62. Human Rights Watch.

63. Eisnitz, p. 87.

64. *Idem.*

65. *Idem.*

66. Eisnitz, p. 94.

67. Frederic J. Frommer, "Video Shows Workers Abusing Pigs", *The Guardian Unlimited*, 17 de setembro de 2008, disponível em *http://www.guardian.co.uk/uslatest/story/O,,-7805670,00.html* (acesso em 31 de março de 2009).

68. Ver Fiddes e Simoons.

69. Para informações sobre os efeitos ambientais da indústria frigorífica, ver Jacobsen e Riebel; Food and Agriculture Organization of the United Nations, "Livestock's Long Shadow: Environmental Issues and Options", 2006, disponível em *http://www.fao.org/docrep/010/a0701e/a0701e00.HTM* (acesso em 27 de março de 2009); e Union of Concerned Scientists, *www.ucsusa.org.*

70. Johns Hopkins Bloomberg School of Public Health.

71. Center for Science in the Public Interest, *http://www.cspinet.org/*; Jacobsen e Riebel, *Eating to Save the Earth*; e Food and Agriculture Organization of the United Nations, "Livestock's Long Shadow: Environmental Issues and Options".

72. Ver William Heffernan e Mary Hendrickson, "Concentration of Agricultural Markets", *National Farmer's Union,* abril de 2007, *http://www.nfu.org/wp-content/2007-heffernanreport.pdf* (acesso em 25 de março de 2009).

73. Philip Mattera, "USDA Inc.: How Agribusiness Has Hijacked Regulatory Policy at the U.S. Department of Agriculture", projeto de pesquisa corporativa de Good Jobs First, 23 de julho de 2004, *http://www.agribusinessaccountability.org/pdfs/289_USDA%20Inc..pdf* (acesso em 25 de março de 2009).

74. *Idem.*

75. Marion Nestle, *Food Politics: How the Food Industry Influences Nutrition and Health* (Berkeley, University of California Press, 2007) e Center for Responsive Politics, "Money in Politics – See Who's Giving and Who's Getting", disponível em *http://www.opensecrets.org/index.php* (acesso em 25 de março de 2009).

76. Doug Gurian-Sherman, "CAFOs Uncovered: The Untold Costs of Confined Animal Feeding Operations", Union of Concerned Scientists, abril de 2008, *http://www.ucsusa.org/assets/documents/food_and_agriculture/cafos-uncovered-executive-summary.pdf* (acesso em 31 de março de 2009).

77. Ver Joe Ruff, "ConAgra Chief's Compensation Tops $ 10 Million", *Omaha World Herald,* 17 de agosto de 2007, disponível em *http://www.omaha.com/index.php?u_page=1208&u_sid=10109885* (acesso em 31 de março de 2009).

78. Ver Centers for Disease Control, "Multistate Outbreak of *Escherichia coli* 0157:H7 Infections Associated with Eating Ground Beef – United States, June-July 2002", 26 de julho de 2002, disponível em *http://www.cdc.gov/mmwr/preview/mmwrhtml/mm5129a1.htm* (acesso em 31 de março de 2009); ver também "About E. Coli", *http://www.about-ecoli.com/ecoli_outbreaks/view/conagra-e-coli-outbreak.*

79. R. L. Phillips, "Coronary Heart Disease Mortality Among Seventh Day Adventists with Differing Dietary Habits: A Preliminary Report", *Cancer Epidemiology, Biomarkers and Prevention* 13 (2004), 1665; John Robbins, *The Food Revolution: How Your Diet Can Help Save Your Life and the World* (Berkeley, CA, Conari Press, 2001). Ver também Caldwell B. Esselstyn, *Prevent and Reverse Heart Disease: The Revolutionary, Scientifically Proven, Nutrition-Based Cure* (Nova York, Penguin, 2008).

80. G. A. Colditz e outros, "Relation of Meat, Fat, and Fiber Intake to the Risk of Colon Cancer in a Prospective Study Among Women", *New England Journal of Medicine* 323.24 (13 de dezembro de 1990), pp. 1664-672; Madeline Vann, "High Meat Consumption Linked to Heightened Cancer Risk", *U.S. News & World Report,* 11 de dezembro de 2007, disponível em *http://health.usnews.com/usnews/health/healthday/071211/high-meat-consumption-linked-to-heightened-cancer-risk.htm* (acesso em 27 de março de 2009).

81. Ver H. Araki e outros, "High-Risk Group for Benign Prostatic Hypertrophy", *Prostate* 4.3 (1983), pp. 253-64, *http://www.ncbi.nlm.nih.gov/pubmed/6189108* (acesso em 27 de março de 2009).

82. Em *The Genocidal Mentality: Nazi Holocaust and Nuclear Threat* (Nova York, Basic Books, 1990), Robert Jay Lifton e Eric Markusen usam esses termos para descrever profissionais que apoiam o desenvolvimento nuclear. Robert Jay Lifton e Eric Markusen, *The Genocidal Mentality: Nazi Holocaust and Nuclear Threat* (Nova York, Basic Books, 1990).

83. *Idem.*

84. Informações sobre o Programa de Patrocínio Corporativo da ADA estão disponíveis em *http://www.eatright.org/cps/rde/xchg/ada/hs.xsl/home_10016_ENU_HTML.htm*

85. Robert Jay Lifton, *The Nazi Doctors: Medical Killing and the Psychology of Genocide* (Nova York, Basic Books, 1986); Lifton e Markusen.

86. Para mais informações sobre a conexão entre carne e masculinidade, ver Fiddes. Ver também Adams e Donovan, e Adams, *The Sexual Politics of Meat.*

87. Physicians Committee for Responsible Medicine, "The Protein Myth", *http://www.pcrm.org/health/veginfo/vsk/protein_myth.html* (acesso em 26 de março de 2009).

88. Lifton, *The Nazi Doctors*; Lifton e Markusen.

89. Farb e Armelagos.

90. Para informações sobre moralidade e repugnância, ver as obras, citadas na bibliografia, de Rozin e outros. Ver também Andras Angyal, "Disgust and Related Aversions", *Journal of Abnormal and Social Psychology* 36 (1941), pp. 393-412; Michael Lemonick, "Why We Get Disgusted", *Time*, 24 de maio de 2007, disponível em *http://www.time.com/time/magazine/article/0,9171,1625167,00.html* (acesso em 26 de março de 2009); Simone Schnall, Jonathan Haidt e Gerald L. Clore, "Disgust as Embodied Moral Judgment", *Personality and Social Psychology Bulletin* 34.8 (2008), pp. 1096-109; Trine Tsouderos, "Some Facial Expressions Are Part of a Primal 'Disgust Response', University of Toronto Study Finds", *Chicago Tribune*, 27 de fevereiro de 2009, disponível em *http://www.chicagotribune.com/news/nationworld/chi-talk-disgust-27feb27,0,5822692.story* (acesso em 26 de março de 2009); e Thalia Wheatley e Jonathon Haidt, "Hypnotically Induced Disgust Makes Moral Judgments More Severe", *Psychological Science* 16 (2005), pp. 780-84.

91. Tsouderos.

92. Simoons, p. 106.

93. Farb e Armelagos, p. 167.

94. Kathy Berghorn, "Emily the Sacred Cow: Lewis Has Asked Me to Put Down Some of My Thoughts on Emily", 2 de abril de 2003, *http://www.peaceabbey.org/sanctuary/emily.htm#kathy* (acesso em 2 de julho de 2008).

95. Judith Herman, *Trauma and Recovery: The Aftermath of Violence – From Domestic Abuse to Political Terror* (Nova York, Basic Books, 1997), p. 1.

96. Sandra Blakeslee, "Cells That Read Minds", *The New York Times*, 10 de janeiro de 2006, disponível em *http://www.nytimes.com/2006/01/10/science/10mirr.html?pagewanted=3&_r=1&incamp=article_popular_2* (acesso em 26 de março de 2009); V. S. Ramachandran, "Mirror Neurons and the Brain in the Vat", *Edge: The Third Culture*, 10 de janeiro de 2006, disponível em *http://www.edge.org/3rd_culture/ramachandran06/ramachandran06_index.html* (acesso em 26 de março de 2009); e "Children Are Naturally Prone to Be Empathic and Moral", *Science Daily*, 12 de julho de 2008, disponível em *http://www.sciencedaily.com/releases/2008/07/080711080957.htm* (acesso em 27 de março de 2009).

97. De *The Witness*, James LaVeck, produtor, e Jenny Stein, diretor, 2000.

98. Citado em Charles Patterson, *Eternal Treblinka: Our Treatment of Animals and the Holocaust* (Nova York, Lantern Books, 2002), p. 231.

99. Matthew Scully, *Dominion: The Power of Man, the Suffering of Animals, and the Call to Mercy* (Nova York, St. Martin's Press, 2002), p. 394.

100. Toda a informação neste parágrafo vem da Union of Concerned Scientists, *http://www.ucsusa.org*, 1º de setembro de 2008. Ver também as notas do Capítulo 4.

101. James O'Dea, "Witnessing: A Form of Compassion", 2 de março de 2007, *http://tow.charityfocus.org/?tid=502* (acesso em 2 de julho de 2008).

102. Citado em Patterson, p. 137.

103. Herman, p. 247.

BIBLIOGRAFIA

Adams, Carol J., "Feeding on Grace: Institutional Violence, Christianity, and Vegetarianism". Em *Good News for Animals? Christian Approaches to Animal Well-Being*, organizado por C. Pinches e J. B. McDaniel, pp. 143-59. Maryknoll, NY, Orbis, 1993.

_______. *Living Among Meat Eaters: The Vegetarian's Survival Handbook*. Nova York, Three Rivers Press, 2001.

_______. *Neither Man nor Beast: Feminism and the Defense of Animals*. Nova York, Continuum, 1995.

_______. *The Sexual Politics of Meat: A Feminist-Vegetarian Critical Theory*. Nova York, Continuum, 1992.

Adams, Carol J. e Josephine Donovan, orgs. *Animals and Women: Feminist Theoretical Explorations*. Durham, NC, Duke University Press, 1995.

Allen, Michael e outros, "Values and Beliefs of Vegetarians and Omnivores", *Journal of Social Psychology* 140.4 (2000), pp. 405-22.

Allport, Gordon, *The Nature of Prejudice*. Nova York, Addison-Wesley, 1958.

American Veterinary Medical Association, "Welfare Implications of the Veal Calf Husbandry", 13 de outubro de 2008, *http://www.avma.org/issues/animal_welfare/veal_calf_husbandry_bgnd.asp* (acesso em 27 de março de 2009).

Anand, K. J. S., D. Phil e P. R. Hickey, "Pain and Its Effects in the Human Neonate and Fetus". *New England Journal of Medicine* 317.21, novembro de 1987, pp. 1321-329, *http://www.cirp.org/library/pain/anand/* (acesso em 27 de março de 2009).

_______. *CIRP.org*: The Circumcision Reference Library, 5 de setembro de 2006, *http://www.cirp.org/library/pain/anand/*.

Angyal, Andras, "Disgust and Related Aversions". *Journal of Abnormal and Social Psychology* 36 (1941), pp. 393-412.

"Animal Cruelty Laws Among Fastest-Growing", *MSNBC*, 15 de fevereiro de 2009, *http://www.msnbc.msn.com/id/29180079/* (acesso em 26 de março de 2009).

Araki, H. e outros, "High-Risk Group for Benign Prostatic Hypertrophy", *Prostate* 4.3 (1983), pp. 253-64, *http://www.ncbi.nlm.nih.gov/pubmed/6189108* (acesso em 27 de março de 2009).

_______. *PubMed, http://www.ncbi.nlm.nih.gov/pubmed/6189108* (acesso em 27 de março de 2009).

Arluke, Arnold, "Uneasiness Among Laboratory Technicians". *Lab Animal* 19.4 (1990), pp. 20-39.

Arluke, Arnold e Frederic Hafferty, "From Apprehension to Fascination with 'Dog Lab': The Use of Absolutions by Medical Students". *Journal of Contemporary Ethnography* 25.2 (1996), pp. 201-25.

Arluke, Arnold e Clinton Sanders, *Regarding Animals*. Filadélfia, Temple University Press, 1996.

Aronson, Elliot, "Back to the Future: Retrospective Review of Leon Festinger's A Theory of Cognitive Dissonance". *American Journal of Psychology* 110 (1997), pp. 127-37.

_______. "Dissonance, Hypocrisy, and the Self-Concept". Em *Cognitive Dissonance: Progress on A Pivotal Theory in Social Psychology*, organizado por E. Harmon-Jones e J. Mills, pp. 103-26. Washington, DC, American Psychological Association, 1999.

Ascherio, Alberto, Graham A. Colditz, Edward Giovannucci, Eric B. Rimm, Meir J. Stampfer e Walter C. Willett, "Intake of Fat, Meat, and Fiber in Relation to Risk of Colon Cancer in Men". *Cancer Research* 54 (1994), pp. 2390-397.

Augoustinos, Martha e Katherine Reynolds, orgs. *Understanding Prejudice, Racism, and Social Conflict*. Thousand Oaks, CA, Sage Publications, 2001.

Austin, Liz, "Whole Foods Bans Sale of Live Lobsters", *CBSnews.com*, 16 de junho de 2006, *http://www.cbsnews.com/stories/2006/06/16/ap/business/mainD8199PROO.shtml* (acesso em 27 de março de 2009).

Barrows, Anita, "The Ecopsychology of Child Development". Em *Ecopsychology: Restoring the Earth, Healing the Mind,* organizado por T. Roszak, M. E. Gomes e D. Kanner, pp. 101-10. San Francisco, Sierra Club Books, 1995.

Barthes, Roland, "Toward a Psychosociology of Contemporary Food Consumption". Em *Food and Drink in History: Selections from the Annales Economies, Societies, Civilisations, vol. 5,* organizado por Robert Forster e Orest Ranum, pp. 166-73. Baltimore e Londres, Johns Hopkins University Press, 1979.

Beardsworth, Alan e Teresa Keil, "Contemporary Vegetarianism in the U.K.: Challenge and Incorporation?" *Appetite* 20 (1993), pp. 229-34.

_______. "The Vegetarian Option: Varieties, Conversions, Motives e Careers". *The Sociological Review* 40 (1992), pp. 253-93.

Belasco, Warren, "Food, Morality, and Social Reform". Em *Morality and Health,* organizado por Allen Brandt e Paul Rozin, pp. 185-99. Nova York, Rutledge, 1997.

Bell, A. Chris e outros, "A Method for Describing Food Beliefs Which May Predict Personal Food Choice". *Journal of Nutrition Education* 13.1 (1981), pp. 22-6.

Bhatnagar, Parija, "PETA's Impotence Ad a No-No with CBS". CNN, 15 de janeiro de 2004, *http://money.cnn.com/2004/01/15/news/companies/peta_cbssuperbowl/index.htm* (acesso em 27 de março de 2009).

Biermann-Ratjen, Eva Maria, "Incongruence and Psychopatholoy". Em *Person-Centered Therapy: A European Perspective,* organizado por B. Thorne e E. Lambers, pp. 119-30. Londres, Sage Publications, 1998.

Bittman, Julie Cart, "Land Study on Grazing Denounced", *Los Angeles Times,* 18 de junho de 2005, *http://articles.latimes.com/2005/jun/18/nation/na-grazing18* (acesso em 26 de março de 2009).

Bittman, Mark, "Rethinking the Meat-Guzzler". *The New York Times,* 27 de janeiro de 2008, *http://www.nytimes.com/2008/01/27/weekinreview/27bittman.html?_r=2* (acesso em 26 de março de 2009).

_______. "Cells That Read Minds". *The New York Times,* 10 de janeiro de 2006, *http://www.nytimes.com/2006/01/10/science/10mirr.html?pagewanted=3&_r=1&incamp=article_popular_2* (acesso em 26 de março de 2009).

Blakeslee, Sandra, "Minds of Their Own: Birds Gain Respect". *The New York Times,* 1º de fevereiro de 2005, *http://www.nytimes.com/2005/02/01/science/01bird.html* (acesso em 31 de março de 2009).

Boat, Barbara, "The Relationship Between Violence to Children and Violence to Animals: An Ignored Link?" *Journal of Interpersonal Violence* 10.2 (1995), pp. 228-35.

Booth, David, *The Psychology of Nutrition*. Bristol, PA, Taylor & Francis, 1994.

Brown, Culum, Kevin Laland e Jens Krause, orgs. *Fish Cognition and Behavior*. Oxford, UK, Blackwell Publishing, 2006.

Brown, Lesley Melville, *Cruelty to Animals: The Moral Debt*. Londres, Macmillan Press, 1988.

Calkins, A., "Observations on Vegetarian Dietary Practice and Social Factors: The Need for Further Research". *Perspectives in Practice* 74 (1979), pp. 353-55.

Campbell, T. Colin e Thomas M. Campbell, *The China Study: The Most Comprehensive Study of Nutrition Ever Conducted and the Startling Implications for Diet, Weight Loss and Long-Term Health*. Dallas, Benbella Books, 2006.

Cart, Julie, "Land Study on Grazing Denounced", *Los Angeles Times,* 18 de junho de 2005, *http://articles.latimes.com/2005/jun/18/nation/na-grazing18* (acesso em 26 de março de 2009).

Center for Responsive Politics, "Money in Politics – See Who's Giving and Who's Getting", *http://www.opensecrets.org/index.php* (acesso em 25 de março de 2009).

Center for Science in the Public Interest (CSPI), *http://www.cspinet.org/*.

Chamberlain, David B., "Babies Remember Pain". *CIRP.org:* The Circumcision Reference Library, 15 de dezembro de 2006, *http://www.cirp.org/library/psych/chamberlain/* (acesso em 27 de março de 2009).

_______. "Babies Remember Pain". *Journal of Prenatal and Perinatal Psychology and Health* 3.4 (1989), pp. 297-310, *http://www.cirp.org/library/psych/chamberlain* (acesso em 27 de março de 2009).

Chambers, J. P. e outros, "Self-Selection of the Analgesic Drug Carprofen by Lame Broiler Chickens". *The Veterinary Record* 146.11 (2000), pp. 307-11.

Chambers, P. G. e outros, "Slaughter of Livestock", Food and Agriculture Organization of the United Nations, abril de 2001, *http://www.fao.org/docrep/003/x6909e/x6909e09.htm* (acesso em 26 de março de 2009).

"Children Are Naturally Prone to Be Empathic and Moral". *Science Daily*, 12 de julho de 2008, *http://www.sciencedaily.com/releases/2008/07/080711080957.htm* (acesso em 27 de março de 2009).

Chong, Jia-rui, "Wood-Chipped Chickens Fuel Outrage", *Los Angeles Times*, 22 de novembro de 2003, *http://articles.latimes.com/2003/nov/22/local/me-chipper22* (acesso em 26 de março de 2009).

Clarke, Paul e Andrew Linzey, *Political Theory and Animal Rights*. Winchester, MA, Pluto Press, 1990.

Colditz, G. A. e outros, "Relation of Meat, Fat and Fiber Intake to the Risk of Colon Cancer in a Prospective Study Among Women", *New England Journal of Medicine* 323.24 (13 de dezembro de 1990), pp. 1664-672.

Compa, Lance e Jamie Fellner, "Meatpacking's Human Toll". *The Washington Post*, 3 de agosto de 2005, *http://www.washingtonpost.com/wp-dyn/content/article/2005/08/02/AR2005080201936.html* (acesso em 27 de março de 2009).

Comstock, Gary L., "Pigs and Piety: A Theocentric Perspective on Food Animals". Em *Good News for Animals? Christian Approaches to Animal Well-Being*, organizado por Charles Pinches e Jay B. McDaniel, pp. 105-27. Maryknoll, NY, Orbis, 1993.

Cone, Tracie, "Dairy Cows Head for Slaughter as Milk Prices Sour". Associated Press, 16 de fevereiro de 2009, *http://www3.signonsandiego.com/stories/2009/feb/16/farm-scene-cow-slaughter-021609/?zIndex=53727* (acesso em 26 de março de 2009).

Conrad, Peter e Joseph Schneider, *Deviance and Medicalization: From Badness to Sickness*. Toronto, C. V. Mosby & Co., 1980.

Cooper, Charles, Thomas Wise e Lee Mann, "Psychological and Cognitive Characteristics of Vegetarians". *Psychosomatics* 26.6 (1985), pp. 521-27.

Counihan, Carol M., "Food Rules in the United States: Individualism, Control, and Hierarchy". *Anthropological Quarterly* 65 (1992), pp. 55-66.

Davis, Karen, "Thinking Like a Chicken: Farm Animals and the Feminine Connection". Em *Animals and Women: Feminist Theoretical Explorations*, organizado por Carol J. Adams e Josephine Donovan, p. 192-212. Durham, NC, Duke University Press, 1995.

Dawn, Karen, *Thanking the Monkey: Rethinking the Way We Treat Animals*. Nova York, Harper, 2008.

Descartes, René, *A Discourse on the Method (Oxford World's Classics)*, trad. Ian Maclean. Nova York, Oxford University Press, 2006.

Devine, Tom, "Shielding the Giant: USDA's 'Don't Look, Don't Know' Policy for Beef Inspection". *WhistleBlower.org*. *http://www.whistleblower.org/doc/S/Shielding%20the%20Giant%20Final%20PDF.pdf* (acesso em 27 de março de 2009).

Dietz, Thomas e outros, "Social Psychological and Structural Influences on Vegetarian Beliefs". *Rural Sociology* 64.3 (1999), pp. 500-11.

_______ e outros, "Values and Vegetarianism: An Exploratory Analysis". *Rural Sociology* 60.3 (1995), pp. 533-42.

Dilanian, Ken, "Bill Includes Billions in Farm Subsidies". *USA Today*, 15 de maio de 2008, *http://www.usatoday.com/news/washington/2008-05-15-farmbill_N.htm* (acesso em 25 de março de 2009).

Donaldson, Tammy McCormick, "Is Boredom Driving Pigs Crazy?" Working paper, the University of Idaho College of Natural Resources, *http://www.cnr.uidaho.edu/range556/Appl_BEHAVE/projects/pigs_ster.html* (acesso em 26 de março de 2009).

Douglas, Mary, *Implicit Meanings: Essays in Anthropology*. Londres, Routledge & Kegan Paul, 1975.

Draycott, Simon e Alan Dabbs, "Cognitive Dissonance: An Overview of the Literature and Its Integration into Theory and Practice in Clinical Psychology". *British Journal of Clinical Psychology* 37 (1998), pp. 341-53.

Du, Wayne, "Porcine Stress Syndrome Gene and Pork Production". Ontario Ministry of Agriculture Food and Rural Affairs, junho de 2004, *http://www.omafra.gov.on.ca/english/livestock/swine/facts/04-053.htm* (acesso em 27 de março de 2009).

Dunayer, Joan, *Animal Equality: Language and Liberation*. Derwood, MD, Ryce Publishing, 2001.

Eisler, Riane, *The Chalice and the Blade: Our History, Our Future*. Nova York, HarperCollins, 1987.

Eisnitz, Gail, *Slaughterhouse: The Shocking Story of Greed, Neglect and Inhumane Treatment Inside the U.S. Meat Industry*. Amherst, NY, Prometheus Books, 1997.

Esselstyn, Caldwell B., *Prevent and Reverse Heart Disease: the Revolutionary, Scientifically Proven, Nutrition-Based Cure*. Nova York, Penguin, 2008.

Ewers, Justin, "Don't Read This Over Dinner". *U.S. News and World Report*, 7 de agosto de 2005, *http://www.usnews.com/usnews/culture/articles/050815/15meat.htm* (acesso em 31 de março de 2009).

"EWG Farm Bill 2007 Policy Analysis Database", *Environmental Working Group*, *http://farm.ewg.org/sites/farmbill2007/* (acesso em 25 de março de 2009).

Farb, Peter e George Armelagos, *Consuming Passions: The Anthropology of Eating*. Boston, Houghton Mifflin, 1980.

Feldman, Megan, "Swift Meat Packing Plant and Illegal Immigrants". *The Houston Press*, 4 de abril de 2007, *http://www.houstonpress.com/2007-04-05/news/swift-meatpacking-plant-and-illegal-immigrants/* (acesso em 27 de março de 2009).

Fessler, Daniel M. T. e Carlos David Navarrette, "Meat is Good to Taboo: Dietary Proscriptions as a Product of the Interaction of Psychological Mechanisms and Social Processes". *Journal of Cognition and Culture* 3.1 (2003), pp. 1-40, *http://www.sscnet.ucla.edu/anthro/faculty/fessler/pubs/MeatIsGoodToTaboo.pdf* (acesso em 26 de março de 2009).

_______. UCLA, *http://www.sscnet.ucla.edu/anthro/faculty/fessler/pubs/MeatIsGoodToTaboo.pdf* (acesso em 26 de março de 2009).

Festinger, Leon, *A Theory of Cognitive Dissonance*. Evanston, IL, Row, Peterson, 1957.

Fiddes, Nick, *Meat: A Natural Symbol*. Nova York, Rutledge, 1991.

Finsen, Lawrence e Susan Finsen, *The Animal Rights Movement in America: From Compassion to Respect*. Nova York, Twayne Publishers, 1994.

Fischler, Claude, "Food Habits, Social Change and the Nature/Culture Dilemma". *Social Science Information* 19.6 (1980), pp. 937-53.

_______. "Food, Self and Identity". *Social Science Information* 27.2 (1988), pp. 275-92.

"Fish May Actually Feel Pain and React to It Much Like Humans Do", *Science Daily*, 1º de maio de 2009, *http://www.sciencedaily.com/releases/2009/04/090430161242.htm* (acesso em 4 de junho de 2009).

Food and Agriculture Organization of the United Nations, "Livestock's Long Shadow: Environmental Issues and Options", 2006, *http://www.fao.org/docrep/010/a0701e/a0701e00.htm* (acesso em 27 de março de 2009).

_______. "Pro-Poor Livestock Policy Initiative", *http://www.fao.org/AG/AGAInfo/programmes/en/pplpi/docarc/pb_hpaibiosecurity.html* (acesso em 26 de março de 2009).

"Food Taboos: It's All a Matter of Taste". *National Geographic News,* 19 de abril de 2004, *http://news.nationalgeographic.com/news/2004/04/0419_040419_TVfoodtaboo.html* (acesso em 26 de março de 2009).

Fox, Michael Allen, *Deep Vegetarianism*. Filadélfia, Temple University Press, 1999.

Francione, Gary, *Animals, Property and the Law*. Filadélfia, Temple University Press, 1995.

Friedman, Stanley, "On Vegetarianism". *Journal of the American Psychoanalytic Association* 23.2 (1975), pp. 396-406.

Frommer, Frederic J., "Video Shows Workers Abusing Pigs". *The Guardian Unlimited,* 17 de setembro de 2008, *http://www.guardian.co.uk/uslatest/story/O,,-7805670,00.html* (acesso em 31 de março de 2009).

Furst, Tanis e outros, "Food Choice: A Conceptual Model of the Process". *Appetite* 26 (1996), pp. 247-66.

Garner, Robert, org., *Animal Rights: The Changing Debate*. Nova York, New York University Press, 1996.

Gaudette, Karen, "USDA Expands Ground-Beef Recall", *The Seattle Times,* 4 de julho de 2008, *http://seattletimes.nwsource.com/html/nationworld/2008033109_beefrecall04.html* (acesso em 27 de março de 2009).

Gofton, L., "The Rules of the Table: Sociological Factors Influencing Food Choice". Em *The Food Consumer,* de Christopher Ritson, Leslie Gofton e John McKenzie, pp. 127-53. Nova York, John Wiley & Sons, 1986.

Greger, Michael, *Bird Flu:A Virus of Our Own Hatching*. Nova York, Lantern Books, 2006.

Grossman, Dave, *On Killing:The Psychological Cost of Learning to Kill in War and Society*. Nova York, Back Bay Books, 1996.

Gurian-Sherman, Doug, "CAFOs Uncovered: The Untold Costs of Confined Animal Feeding Operations". Union of Concerned Scientists, abril de 2008, *http://www.ucsusa.org/assets/documents/food_and_agriculture/cafos-uncovered-executive-summary.pdf* (acesso em 31 de março de 2009).

Halpin, Zuleyma Tang, "Scientific Objectivity and the Concept of the 'Other'". *Women's Studies International Forum* 12.3 (1989), pp. 285-94.

Hamilton, Malcolm, "Wholefoods and Healthfoods: Beliefs and Attitudes". *Appetite* 20 (1993), pp. 223-28.

Harmon-Jones, Eddie e Judson Mills, orgs. *Cognitive Dissonance: Progress on a Pivotal Theory in Social Psychology*. Washington, DC, American Psychological Association, 1999.

Hedges, Stephen J. e Washington Bureau, "E. Coli Loophole Cited in Recalls Tainted Meat Can Be Sold if Cooked". *Chicago Tribune,* 11 de novembro de 2007, *http://archives.chicagotribune.com/2007/nov/11/food/chi-meat_bdnov11* (acesso em 27 de março de 2009).

_______. "Topps Meat Recall Raises Questions About Inspections Workload". *Chicago Tribune,* 14 de outubro de 2007, *http://archives.chicagotribune.com/2007/oct/14/food/chi-meat_5s_hedgesoct14* (acesso em 27 de março de 2009).

Heffernan, William e Mary Hendrickson, "Concentration of Agricultural Markets". *National Farmer's Union,* abril de 2007, *http://www.nfu.org/wp-content/2007-heffernanreport.pdf* (acesso em 25 de março de 2009).

Hegeman, Roxana, "Injuries Propel Union's Offences". *Arkansas Democrat Gazette,* 18 de fevereiro de 2007, *http://www.nwanews.com/adg/Business/182284/* (acesso em 27 de março de 2009).

Herman, Judith, *Trauma and Recovery: The Aftermath of Violence – From Domestic Abuse to Political Terror.* Nova York, Basic Books, 1997.

Hindley, M. Patricia, "'Minding Animals': The Role of Animals in Children's Mental Development". Em *Attitudes to Animals: Views in Animal Welfare,* organizado por F. L. Dolins, pp. 186-99. Cambridge, UK, Cambridge University Press, 1999.

Holm, Lotte e M. Mohl, "The Role of Meat in Everyday Food Culture: An Analysis of an Interview Study in Copenhagen". *Appetite* 34 (2000), pp. 277-83.

Howard, George S., *Ecological Psychology: Creating a More Earth-Friendly Human Nature*. Notre Dame, IN, University of Notre Dame Press, 1997.

Human Rights Watch, "Blood, Sweat and Fear". *HRW.org.*, 24 de janeiro de 2005, *http://www.hrw.org/en/node/11869/section/5* (acesso em 27 de março de 2009).

Humane Society of the United States, "Undercover Investigation Reveals Rampant Animal Cruelty at California Slaughter Plant – A Major Beef Supplier to America's School Lunch Program", 30 de janeiro de 2008, *http://www.hsus.org/farm/news/ournews/undercover_investigation.html* (acesso em 26 de março de 2009).

Irvin, David, "Control Debate, Growers Advised". *Arkansas-Democrat Gazette*, Northwest Arkansas edition, 22 de setembro de 2007, *http://www.nwanews.com/adg/Business/202171/* (acesso em 26 de março de 2009).

Jabs, Jennifer, Carol Devine e J. Sobal, "Model of the Process of Adopting Vegetarian Diets: Health Vegetarians and Ethical Vegetarians". *Journal of Nutrition Education* 30.4 (1998), pp. 196-202.

Jacobsen, Ken e Linda Riebel, *Eating to Save the Earth: Food Choices for a Healthy Planet*. Berkeley, CA, Celestial Arts, 2002.

Johns Hopkins Bloomberg School of Public Health, "Public Health Association Calls for Moratorium on Factory Farms; Cites Health Issues, Pollution", 9 de janeiro de 2004, *http://www.jhsph.edu/publichealthnews/press_releases/PR_2004/farm_moratorium.html* (acesso em 26 de março de 2009).

Johnson, Allan G., *The Forest and the Trees: Sociology as Life, Practice and Promise*. Filadélfia, Temple University Press, 1997.

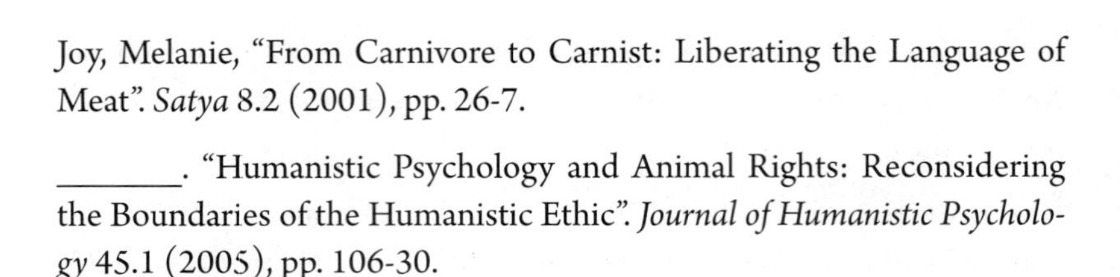

Joy, Melanie, "From Carnivore to Carnist: Liberating the Language of Meat". *Satya* 8.2 (2001), pp. 26-7.

_______. "Humanistic Psychology and Animal Rights: Reconsidering the Boundaries of the Humanistic Ethic". *Journal of Humanistic Psychology* 45.1 (2005), pp. 106-30.

_______. "Psychic Numbing and Meat Consumption: The Psychology of Carnism". Diss., Saybrook Graduate School, 2003.

_______. *Strategic Action for Animals: A Handbook on Strategic Movement Building, Organizing, and Activism for Animal Liberation.* Nova York, Lantern Books, 2008.

Jung, C. G., "The Problem of Evil Today". Em *Meeting the Shadow: The Hidden Power of the Dark Side of Human Nature,* organizado por C. Zweig e J. Abrams, pp. 170-73. Nova York, Putnam, 1991.

Kapleau, Philip. *To Cherish All Life: A Buddhist Case for Becoming Vegetarian.* Rochester, NY, The Zen Center, 1986.

Kellert, Stephen R. e Alan Felthous, "Childhood Cruelty Toward Animals Among Criminals and Noncriminals". *Human Relations* 38.12 (1985), pp. 1113-129.

Kelly, Daniel, "The Role of Psychology in the Study of Culture", Purdue University, *http://web.ics.purdue.edu/~drkelly/KellyMacheryMallonMasonStichCommentonMesoudietal.htm* (acesso em 26 de março de 2009).

Kirby, Alex, "Fish Do Feel Pain, Scientists Say". *BBC News Online, http://news.bbc.co.uk/2/hi/science/nature/2983045.stm* (acesso em 4 de junho de 2009).

Kowalski, Gary, *The Souls of Animals.* Walpole, NH, Stillpoint, 1991.

Lea, Emma e Anthony Worsley, "Influences on Meat Consumption in Australia". *Appetite* 36 (2001), pp. 127-36.

Lee, Jennifer, "Neighbors of Vast Hog Farms Say Foul Air Endangers Their Health", *The New York Times,* 11 de maio de 2003, *http://www.nytimes.com/2003/05/11/us/neighbors-of-vast-hog-farms-say-foul-air-endangers-their-health.html* (acesso em 26 de março de 2009).

Lemonick, Michael, "Why We Get Disgusted". *Time*, 24 de maio de 2007, *http://www.time.com/time/magazine/article/0,9171,1625167,00.html* (acesso em 26 de março de 2009).

Lifton, Robert Jay, "Beyond Psychic Numbing: A Call to Awareness". *American Journal of Orthopsychiatry* 52.4 (1982), pp. 619-29.

_______. *The Nazi Doctors: Medical Killing and the Psychology of Genocide*. Nova York, Basic Books, 1986.

_______. "A Nuclear Age Ethos: Ten Psychological-Ethical Principles", *Journal of Humanistic Psychology* 25.4 (1985), pp. 39-40.

Lifton, Robert Jay e Eric Markusen, *The Genocidal Mentality: Nazi Holocaust and Nuclear Threat*. Nova York, Basic Books, 1990.

Lilliston, Ben, "A Fair Farm Bill for Competitive Markets", Institute for Agriculture and Trade Policy, 2007, *http://www.agobservatory.or/library.cfm?refid=98445* (acesso em 29 de março de 2009).

Lindeman, Marjaana e M. Väänänen, "Measurement of Ethical Food Choice Motives". *Appetite* 34 (2000), pp. 55-9.

LJ, "Stop the Dog Meat Industry". ASPCA Online Community, 18 de fevereiro de 2009, *http://aspcacommunity.ning.com/forum/topics/stop-the-dog-meat-industry* (acesso em 26 de março de 2009).

Lobo, Phillip, "Animal Welfare and Activism: What You Need to Know". Apresentação em PowerPoint na FMI-AMI Meat Conference, 10 de março de 2009, *http://www.meatconference.com/ht/a/GetDocumentAction/i/38151* (acesso em 26 de março de 2009).

Locatelli, Margaret Garrett e Robert Holt, "Antinuclear Activism, Psychic Numbing, and Mental Health". *International Journal of Mental Health* 15.1-3 (1986), pp. 143-61.

Lovelock, James, *Gaia: A New Look at Life on Earth*. Oxford, UK, Oxford University Press, 1979.

Macy, Joanna, "Working Through Environmental Despair". Em *Ecopsychology: Restoring the Earth, Healing the Mind,* organizado por T. Roszak, M. E. Gomes, e A. D. Kanner, pp. 240-59. San Francisco, Sierra Club Books, 1995.

Marcus, Erik, "*Meat Market: Animals, Ethics, and Money.* Ithaca, NY, Brio Press, 2005.

________. *Vegan: The New Ethics of Eating.* Ithaca, NY, McBooks, 1998.

Maslow, Abraham, *Motivation and Personality,* 3ª ed. Nova York, Harper & Row, 1987.

Masson, Jeffrey, *The Face on Your Plate: The Truth About Food.* Nova York, W. W. Norton, 2009.

Mattera, Philip, "USDA Inc.: How Agribusiness Has Hijacked Regulatory Policy at the U.S. Department of Agriculture". Projeto de pesquisa corporativa de Good Jobs First, 23 de julho de 2004, *http://www.agribusinessaccountability.org/pdfs/289_USDAInc..pdf* (acesso em 25 de março de 2009).

Mattes, Richard D., "Learned Food Aversions: A Family Study". *Physiology and Behavior* 50 (1991), pp. 499-504.

Maurer, Donna, *Vegetarianism: Movement or Moment?,* Filadélfia, Temple University Press, 2002.

McDonald, Barbara, Ronald M. Cervero e Bradley C. Courtenay, "An Ecological Perspective of Power in Transformational Learning: A Case Study of Ethical Vegans". *Adult Education Quarterly* 50.1 (1999), pp. 5-23.

McDougall, John A. e Mary McDougall, *The McDougall Program: Twelve Days to Dynamic Health.* Nova York, Plume, 1991.

McElroy, Damien, "Korean Outrage as West Tries to Use World Cup to Ban Dog Eating", *Telegraph,* 6 de janeiro de 2002, *http://www.telegraph.co.uk/news/worldnews/europe/france/1380569/korean-outrage-as-West-tries-to-use-World-Cup-to-ban-dog-eating.html* (acesso em 26 de março de 2009).

Messina, Virginia e Mark Messina, *The Vegetarian Way.* Nova York, Crown Trade Paperbacks, 1996.

Metzner, Ralph, *Green Psychology: Transforming Our Relationship to the Earth*. Rochester, VT, Park Street Press, 1999.

Midei, Aimee, "Identification of the First Gene in Posttraumatic Stress Disorder", *Bio-Medicine,* 22 de setembro de 2002, *http://news.bio-medicine.org/biology-news-2/Identification-of-the-first-gene-in-posttraumatic--stress-disorder-6692-1/* (acesso em 27 de março de 2009).

Midgley, Mary, *Animals and Why They Matter: A Journey Around the Species Barrier*. Nova York, Penguin, 1983.

Milgram, Stanley, *Obedience to Authority: An Experimental View.* Nova York, Harper & Row, 1974.

Mintz, Sidney, *"Tasting Food, Tasting Freedom: Excursions into Eating, Culture, and the Past.* Boston, Beacon Press, 1996.

Mitchell, C. E., "Animals – Sacred or Secondary? Ideological Influences on Therapist and Client Priorities and Approaches to Decision-Making". *Psychology* 30.1 (1993), pp. 22-8.

Mittal, Anuradha, "Giving Away the Farm: The 2002 Farm Bill". The Oakland Institute, junho de 2002, *http://www.oaklandinstitute.org/?q=node/view/39* (acesso em 27 de março de 2009). O Oakland Institute é um centro de estudos de políticas públicas voltado para uma crescente participação pública em questões cruciais de natureza social e ambiental e em seu debate franco. Anuradha Mittal (diretor-executivo do instituto) foi apontado como o mais importante pensador de 2008 pela revista *Nation.*

"More Urban, Suburban Homes Have Pet Chickens", *Dallas Morning News,* 16 de julho de 2007, *http://www.dallasnews.com/sharedcontent/dws/news/localnews/stories/071707dnmetpetchickens.ca7efd.html* (acesso em 27 de março de 2009).

Morgan, Dan, Gilbert M. Gaul e Sarah Cohen, "Harvesting Cash: A Year-Long Investigation into Farm Subsidies". *The Washington Post,* 2006, *http://www.washingtonpost.com/wp-srv/nation/interactives/farmaid/* (acesso em 25 de março de 2009).

Morrow, Julie, "An Overview of Current Dairy Welfare Concerns from the North American Perspective", 19 de dezembro de 2002, *http://www.nal.usda.gov/awic/pubs/dairy/overview.htm* (acesso em 27 de março de 2009).

Motovalli, Jim, "The Meat of the Matter: Our Livestock Industry Creates More Greenhouse Gas Than Transportation Does". *E Magazine* 19.4 (julho/agosto 2008).

Murcott, A., "You Are What You Eat: Anthropological Factors Influencing Food Choice". Em *The Food Consumer,* organizado por Christopher Ritson, Leslie Gofton e John McKenzie, pp. 107-25. Nova York, John Wiley & Sons, 1986.

National Endowment for the Humanities, "Voting Rights for Women: Pro- and Anti- Suffrage". *EDSITEment.com,* 11 de junho de 2002, *http://edsitement.neh.gov/view_lesson_plan.asp?id=438* (acesso em 27 de março de 2009).

National Resources Defense Council, "Pollution from Giant Livestock Farms Threatens Public Health", 15 de julho de 2005, *http://www.nrdc.org/water/pollution/nspills.asp* (acesso em 26 de março de 2009).

"Nebraska Beef Recalls 1.2 Million Pounds of Beef", *MSNBC.com,* 10 de agosto de 2008, *http://www.msnbc.msn.com/id/26101733/* (acesso em 27 de março de 2009).

Nestle, Marion, *Food Politics: How the Food Industry Influences Nutrition and Health.* Berkeley, University of California Press, 2007.

Nibert, David Allen, *Animal Rights/Human Rights: Entanglements of Oppression and Liberation.* Lanham, MD, Rowman & Littlefield, 2002.

Norberg-Hodge, Helena, "Compassion in the Age of the Global Economy". *The Psychology of Awakening: Buddhism, Science, and Our Day-to-Day Lives,* organizado por G. Watson, S. Batchelor e G. Claxton, pp. 55-67. York Beach, ME, Samuel Weiser, 2000.

Passariello, Phyllis, "Me and My Totem: Cross-Cultural Attitudes Towards Animals". *Attitudes to Animals: Views in Animal Welfare,* organizado por F.

L. Dolins, pp. 12-25. Cambridge, UK, Cambridge University Press, 1999.

Patterson, Charles, *Eternal Treblinka: Our Treatment of Animals and the Holocaust*. Nova York, Lantern Books, 2002.

Petrinovich, L., P. O'Neill e M. Jorgensen, "An Empirical Study of Moral Intuition: Toward an Evolutionary Ethics". *Journal of Personality and Social Psychology* 64.3 (1993), pp. 467-78.

Phillips, Mary T., "Savages, Drunks, and Lab Animals: The Researcher's Perception of Pain". *Society and Animals* 1.1 (1993), pp. 61-81.

Phillips, R. L., "Coronary Hear Disease Mortality Among Seventh Day Adventists with Differing Dietary Habits: a Preliminary Report". *Cancer Epidemiology, Biomarkers and Prevention* 13 (2004), p. 1665.

Physicians Committee for Responsible Medicine, "The Protein Myth", *http://www.pcrm.org/health/veginfo/vsk/protein_myth.html* (acesso em 26 de março de 2009).

Pickert, Kate, "Undercover Animal-Rights Investigator". *Time*, 9 de março de 2009, *http://www.time.com/time/nation/article/0,8599,1883742,00.html* (acesso em 26 de março de 2009).

Pilisuk, Marc, "Cognitive Balance and Self-Relevant Attitudes", *Journal of Abnormal and Social Psychology* 6.2 (1962), pp. 95-103.

_______. "The Hidden Structure of Contemporary Violence", *Peace and Conflict: Journal of Peace Psychology* 4 (1998), pp. 197-216.

Pilisuk, Marc e Melanie Joy, "Humanistic Psychology and Ecology". *The Handbook of Humanistic Psychology: Leading Edges in Theory, Research and Practice*, organizado por K. J. Schneider, J. T. Bugental e J. F. Pierson, pp. 101-14. Thousand Oaks, CA, Sage Publications, 2000.

Plous, Scott, "Psychological Mechanisms in the Human Use of Animals". *Journal of Social Issues* 49.1 (1993), pp. 11-52.

Pollan, Michael, *The Omnivore's Dilemma: A Natural History of Four Meals*. Nova York, Penguin, 2006.

_______. "Power Steer", *The New York Times*, 31 de março de 2002, cad. 6;

Prilleltensky, Isaac, "Psychology and the Status Quo". *American Psychologist* 44.5 (1989), pp. 795-802.

Public Broadcasting Service (PBS), "Meatpacking in the U.S.: Still a 'Jungle' Out There?" Apresentação de matéria do programa noticioso *NOW*, 15 de dezembro de 2006, *http://www.pbs.org/now/shows/250/meat-packing.html* (acesso em 26 de março de 2009).

Ramachandran, V. S., "Mirror Neurons and the Brain in the Vat", *Edge: The Third Culture*, 10 de janeiro de 2006, *http://www.edge.org/3rd_culture/ramachandran06/ramachandran06_index.html* (acesso em 26 de março de 2009).

Randour, Mary Lou, *Animal Grace: Entering a Spiritual Relationship with Our Fellow Creatures*. Novato, Ca, New World Library, 2000.

Regan, Tom, *The Case for Animal Rights*. Berkeley, University of California Press, 1983.

"Retailer Recalls Parkas Trimmed in Dog Fur", *The New York Times*, 16 de dezembro de 1998, *http://www.nytimes.com/1998/12/16/nyregion/retailer-recalls-parkas-trimmed-in-dog-fur.html?n=Top/News/Science/Topics/Dogs* (acesso em 27 de março de 2009).

Richardson, N. J., "UK Consumer Perceptions of Meat". *Proceedings of the Nutrition Society* 53 (1994), pp. 281-87.

Richardson, N. J., R. Shepard e N. A. Elliman, "Current Attitudes and Future Influences on Meat Consumption in the U.K.". *Appetite* 21 (1993), pp. 41-51.

Rifkin, Jeremy, *Beyond Beef: The Rise and Fall of the Cattle Culture*. Nova York, Plume, 1992.

Robbins, John, *Diet for a New America*. Tiburon, CA, H. J. Kramer, 1987.

_______. *The Food Revolution: How Your Diet Can Help Save Your Life and the World*. Berkeley, CA, Conacri Press, 2001.

Rogers, Carl, *On Becoming a Person*. Boston, Houghton Mifflin, 1961.

"Role of the Meat and Poultry Industry in the U.S. Economy", *American Meat Institute*, 2000, *http://www.meatami.com//content/PressCenter/FactSheets_InfoKits/Intl_trade_kit.htm* (acesso em 1º de novembro de 2001).

Rosen, Steven, *Diet for Transcendence: Vegetarianism and the World Religions.* Badger, CA, Torchlight Publishing, 1997.

Rostler, Suzanne, "Vegetarian Diet May Mask Eating Disorder in Teens". *Journal of Adolescent Health* 29 (2001), pp. 406-16.

Rozin, Paul, "Moralization". Em *Morality and Health,* organizado por A. Brandt e P. Rozin, pp. 379-401. Nova York, Rutledge, 1997.

_______. "A Perspective on Disgust", *Psychological Review* 94.1 (1987), pp. 23-41.

Rozin, Paul e April Fallon, "The Psychological Categorization of Foods and Non-Foods: A Preliminary Taxonomy of Food Rejections". *Appetite* 1 (1980), pp. 193-201.

Rozin, Paul, Maureen Markwith e Caryn Stoess, "Moralization and Becoming a Vegetarian: The Transformation of Preferences into Values and the Recruitment of Disgust". *Psychological Science* 8.2 (1977), pp. 67-73.

Rozin, Paul, M. L. Pelchat e A. E. Fallon, "Psychological Factors Influencing Food Choice". Em *The Food Consumer,* organizado por C. Ritson, L. Gofton e J. McKenzie, pp. 85-106. Nova York, John Wiley & Sons, 1986.

Ryder, Richard D., *The Political Animal: The Conquest of Speciesism.* Jefferson, NC, McFarland & Company, 1998.

Sapp, Stephen G. e Wendy J. Harrod, "Social Acceptability and Intentions to Eat Beef: An Expansion of the Fishbein-Ajzen Model Using Reference Group Theory", *Rural Sociology* 54.3 (1989), pp. 420-38.

Schafer, Robert e Elizabeth A. Yetley, "Social Psychology of Food Faddism". *Journal of the American Dietetic Association* 66 (1975), pp. 129-33.

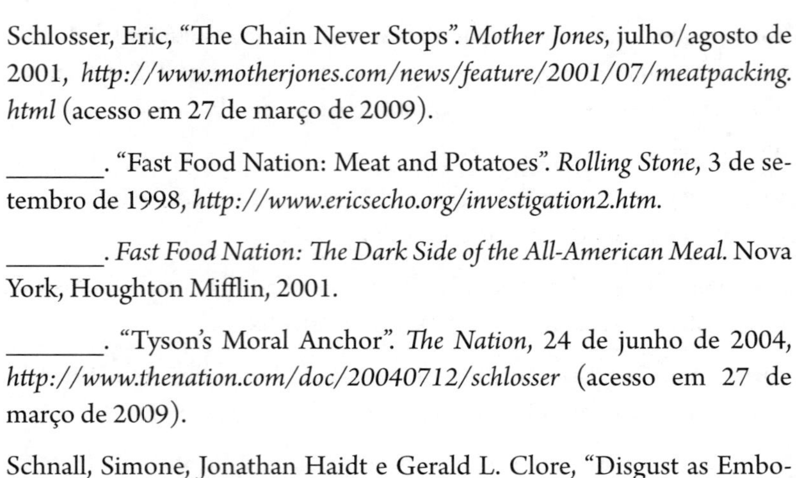

Schlosser, Eric, "The Chain Never Stops". *Mother Jones*, julho/agosto de 2001, *http://www.motherjones.com/news/feature/2001/07/meatpacking.html* (acesso em 27 de março de 2009).

_______. "Fast Food Nation: Meat and Potatoes". *Rolling Stone*, 3 de setembro de 1998, *http://www.ericsecho.org/investigation2.htm.*

_______. *Fast Food Nation: The Dark Side of the All-American Meal.* Nova York, Houghton Mifflin, 2001.

_______. "Tyson's Moral Anchor". *The Nation*, 24 de junho de 2004, *http://www.thenation.com/doc/20040712/schlosser* (acesso em 27 de março de 2009).

Schnall, Simone, Jonathan Haidt e Gerald L. Clore, "Disgust as Embodied Moral Judgment". *Personality and Social Psychology Bulletin* 34.8 (2008), pp. 1096-109.

Schwartz, Richard H., *Judaism and Vegetarianism*. Nova York, Lantern Books, 2001.

Scully, Matthew, *Dominion: The Power of Man, the Suffering of Animals, and the Call to Mercy.* Nova York, St. Martin's Griffin Press, 2002.

Serpell, James A., *In the Company of Animals.* Nova York, Basil Blackwell, 1986.

_______. "Sheep in Wolves' Clothing? Attitudes to Animals Among Farmers and Scientists". Em *Attitudes to Animals: Views in Animal Welfare*, organizado por F. L. Dolins, pp. 26-33. Cambridge, UK, Cambridge University Press, 1999.

Severson, Kim, "Upton Sinclair, Now Playing on You Tube". *The New York Times*, 12 de março de 2008, *http://www.nytimes.com/2008/03/12/dining/12animal.html?pagewanted=1&_r=3* (acesso em 26 de março de 2009).

Shapiro, Kenneth J., "Animal Rights Versus Humanism: The Charge of Speciesism". *Journal of Humanistic Psychology* 30.2 (1990), pp. 9-37.

Shepard, Paul, *The Tender Carnivore and the Sacred Game.* Nova York, Scribners, 1973.

Shicke, D. e outros, "Differences in Health, Knowledge and Attitudes Between Vegetarians and Meat Eaters in a Random Population Sample". *Journal of the Royal Society of Medicine* 82 (1989), pp. 18-20.

"Short Supply of Inspectors Threatens Meat Safety". *MSNBC.com*, 21 de fevereiro de 2008, *http://www.msnbc.msn.com/id/23282496/* (acesso em 27 de março de 2009).

Simoons, Frederick J., *Eat Not This Flesh: Food Avoidances in the Old World*. Madison, University of Wisconsin Press, 1961.

Sims, L. S., "Food-Related Value-Orientations, Attitudes, and Beliefs of Vegetarians and Non-Vegetarians". *Ecology of Food and Nutrition* 7 (1978), pp. 23-35.

Sinclair, Upton, *The Jungle*. Nova York, Penguin Classics, 2006.

Singer, Peter, *Animal Liberation*. Nova York, Avon Books, 1990.

Slovic, Paul, "'If I Look at the Mass I Will Never Act', Psychic Numbing and Genocide". *Judgment and Decision Making* 2.2 (2007), pp. 79-95.

Smith, Allen C. e Sherryl Kleinman, "Managing Emotions in Medical School: Students' Contacts with the Living and the Dead". *Social Psychology Quarterly* 52.1 (1989), pp. 56-69.

Sneddon, L. U., V. A. Braithwaite e M. J. Gentle, "Do Fishes Have Nociceptors? Evidence for the Evolution of a Vertebrate Sensory System". *Proceedings of the Royal Society of London*, B 270, 1520 (7 de junho de 2003), pp. 1115-121.

Spencer, Colin, *The Heretic's Feast: A History of Vegetarianism*. Hanover, NH, University Press of New England, 1995.

Spiegel, Marjorie, *The Dreaded Comparison: Human and Animal Slavery*. Nova York, Mirror Books, 1988.

Stamm, B. Hudnall, org., *Secondary Traumatic Stress: Self-Care Issues for Clinicians, Researchers, and Educators*, 2ª ed. Baltimore, MD, Sidran Press, 1999.

Stepaniak, Joanne, *The Vegan Sourcebook.* Los Angeles, Lowell House, 1998.

Stout, Martha, *The Sociopath Next Door.* Nova York, Broadway Books, 2005.

Thich Nhat Hanh, *For a Future to Be Possible: Commentaries on the Five Wonderful Precepts.* Berkeley, CA, Parallax Press, 1993.

Tolle, Eckhart, *A New Earth: Awakening to Your Life's Purpose.* Nova York, Plume, 2005.

_______. *The Power of Now: A Guide to Spiritual Enlightenment.* Novato, CA, New World Library, 1999.

Tsouderos, Trine, "Some Facial Expressions Are Part of a Primal 'Disgust Response', University of Toronto Study Finds". *Chicago Tribune,* 27 de fevereiro de 2009, *http://www.chicagotribune.com/news/nationworld/chi--talk-disgust-27feb27,0,5822692.story* (acesso em 26 de março de 2009).

Twigg, Julia, "Vegetarianism and the Meanings of Meat". Em *The Sociology of Food and Eating,* organizado por A. Murcott e A. Aldershot, pp. 18-30. Inglaterra, Gomer Publishing, 1983.

Union of Concerned Scientists, "Outbreak of a Resistant Food Borne Illness", 18 de julho de 2003, *http://www.ucsusa.org/food_and_agriculture/science_and_impacts/impacts_industrial_agriculture/outbreak-of-a--resistant,html* (acesso em 27 de março de 2009).

_______. "They Eat What? The Reality of Feed at Animal Factories", 8 de agosto de 2006, *http://www.ucsusa.org/food_and_agriculture/science_and_impacts/impacts_industrial_agriculture/they-eat-what-the-reality-of.html* (acesso em 27 de março de 2009).

U.S. Department of Agriculture, "Nebraska Firm Recalls Beef Products Due to Possible E. coli 0157:H7 Contamination", 30 de junho de 2008, *http://www.fsis.usda.gov/News_&_Events/Recall_022_2008_Release/index.asp* (acesso em 27 de março de 2009).

U.S. Department of Agriculture, Grain Inspection, Packers, and Stockyyards Administration (GIPSA), *http://www.gipsa.usda.gov/GIPSA/webapp?area=newsroom&subject=landing&topic=cc-budget-03* (acesso em 30 de março de 2009). Depoimento de David R. Shipman, administrador interino da Grain Inspection, Packers, and Stockyards Administration perante a Subcomissão de Agricultura, Desenvolvimento Rural e Atividades Afins, com referência à proposta de orçamento FY 2003.

U.S. Department of Labor, "Safety and Health Guide for the Meatpacking Industry", 1988, *http://www.osha.gov/Publications/OSHA3108/osha3108.html* (acesso em 27 de março de 2009).

Vann, Madeline, "High Meat Consumption Linked to Heightened Cancer Risk". *U.S. News & World Report*, 11 de dezembro de 2007, *http://health.usnews.com/usnews/health/healthday/071211/high-meat-consumption-linked-to-heightened-cancer-risk.htm* (acesso em 27 de março de 2009).

Vansickle, Joe, "Preparing Pigs for Transport". *The National Hog Farmer*, 15 de setembro de 2008, *http://nationalhogfarmer.com/behavior-welfare/0915-preparing-pigs-transport/* (acesso em 26 de março de 2009).

Verhovek, Sam, "Gain for Winfrey in Suit by Beef Producers in Texas", *The New York Times*, 18 de fevereiro de 1998, *http://query.nytimes.com/gst/fullpage.html?res=9407EODE153FF93BA25751COA96E958260&sec=health&spon=&pagewanted=1* (acesso em 27 de março de 2009).

Warrick, Joby, "They Die Piece by Piece", *The Washington Post*, 10 de abril de 2001, *http://www.hfa.org/hot_topic/wash_post.pdf* (acesso em 26 de março de 2009).

Weingarten, Kaethe, *Common Shock: Witnessing Violence Every Day*. Nova York, New American Library, 2004.

WGBH Educational Foundation, "Inside the Slaughterhouse", *http://www.pbs.org/wgbh/pages/frontline/shows/meat/slaughter/slaughterhouse.html* (acesso em 27 de março de 2009).

_______. "What is HAACP?", *http://www.pbs.org/wgbh/pages/frontline/shows/meat/evaluating/haacp.html* (acesso em 27 de março de 2009).

Wheatley, Thalia e Jonathon Haidt, "Hypnotically Induced Disgust Makes Moral Judgments More Severe". *Psychological Science* 16 (2005), pp. 780-84.

Wolf, David B., "Social Work and Speciesism". *Social Work* 45.1 (2000), pp. 88-93.

Worldwatch Institute, "Worldwatch Institute: Vision for a Sustainable World", 26 de março de 2009, *http://www.worldwatch.org/* (acesso em 27 de março de 2009).

Worsley, Anthony e Grace Skrzypiec, "Teenage Vegetarianism: Prevalence, Social and Cognitive Contexts". *Appetite* 30 (1998), pp. 151-70.

Zey, Mary e William Alex McIntosh, "Predicting Intent to Consume Beef: Normative Versus Attitudinal Influences". *Rural Sociology* 57.2 (1992), pp. 250-65.

Zur, Ofer, "On Nuclear Attitudes and Psychic Numbing: Overview and Critique". *Contemporary Social Psychology* 14.2 (1990), pp. 96-119.

Zwerdling, Daniel, "A View to a Kill". *Gourmet*, junho de 2007, *http://www.gourmet.com/magazine/2000s/2007/06/aviewtoakill* (acesso em 26 de março de 2009).

GRUPO EDITORIAL PENSAMENTO

O Grupo Editorial Pensamento é formado por quatro selos:
Pensamento, Cultrix, Seoman e Jangada.

Para saber mais sobre os títulos e autores do Grupo
visite o site: www.grupopensamento.com.br

Acompanhe também nossas redes sociais e fique por dentro dos próximos lançamentos, conteúdos exclusivos, eventos, promoções e sorteios.

Em caso de dúvidas, estamos prontos para ajudar:
atendimento@grupopensamento.com.br